〈ツキノワグマ〉長野県、2010年

新装版

MORI NO TANTEI

森の探偵

無人カメラがとらえた日本の自然

宮崎学　小原真史

もくじ

第2章 生と死のエコロジー 99

はじめに

中央アルプスと南アルプスに挟まれた長野県の伊那谷（いなだに）を拠点に、60年代から写真家として活動してきた宮崎学は、山や森を近景として半世紀以上観察を続けてきた天性のナチュラリストだ。また、日用品や電子機器を組み合わせた無人カメラによって知られざる野生動物の姿をとらえてきた「ブリコラージュ（器用仕事）」の達人でもあり、全国を車で移動しながら日本の自然の変化を見つめてきた旅人という顔も持つ。

他方、これまで都市や郊外と呼ばれる場所で暮らしてきた私にとって、森は本や映像を通したものであり、現実の森ははるか遠景に眺めるか、ときおり行くところで、実生活とは直接に関わりのないものだった。２０１１年に発生した東日本大震災によって日本が海に囲まれ、多くの日本人が海岸近くの平地に集中して暮らしていることを強く意識させられたが、海だけでなく山に囲まれていることにも気づかされた。宮崎との出会いを経て、日本の自然や山村がたどってきた歴史への関心が高まったものの、50年以上のキャリアを持つ写真家に比べれば、まだほんの片足を踏み入れた程度だ。

宮崎は自ら考案した無人カメラのシステムと古い狩猟型の知を融合させながら、森のヴェールに包まれた野生動物や変容し続ける自然の姿をわれわれの目に届けてきた。宮崎が70年代に考案したシステムは、動物が利用するけもの道に赤外線を照射し、そこを動物が通って遮ると自動的に撮影が行われるというものだ。もちろん自身でもカメラを持って撮影するが、すぐれた身体能力を持つ野生動物を相手にする以上、身体的な限界を超えたところでの撮影が要求されるのだ。

「自然」という言葉は、訓読すれば「おのずからしかり」となるが、「みずからしかり」とも読める。名詞ではあるが、「自然に」と言うように副詞的な意味も含まれている言葉だ。宮崎の無人カメラの撮影は、赤外線に触れた動物の動きによってシャッターが切られる仕掛けになっているため、宮崎自身がシャッターボタンを押すのではなく、「おのづから」なされるものだ。動物によるセルフポートレイトのように見えるが、手作りの機材と周到な計算によって「みづから」なされるものでもある。したがって、その写真は、人為でないものと人為的なものとの絶妙なバランスによってもたらされる、文字通り「自然」の賜物だと言うことができる。

半世紀にわたり撮り貯められてきた写真は、文字通りの写真の山と化している。そこかしこに設置された無人カメラが24時間稼働し続け、日々大量の写真を宮崎のもとに集めてくるからだ。多くは森の中から切り出されてきたものだが、この写真群も豊かな森のように広大で奥深く、もはや全貌を把握することが困難なほどに成長してしまっている。しかし、この「写真の森」は、現実の森を遠景にしか見ていないわれわれが自然を読み解くためのヒントで溢れている。それればかりではなく、写真の中の動物たちは、森から遠ざかった人間の姿をも写し出してさえいるだろう。今なお精力的に撮影は続けられているが、そろそろ撮影は小休止して、この「写真の森」を探索し、それらに言葉をつけていく時期ではないか、というのが本書の出発点となっている。

近年の宮崎は、「自然界の報道写真家」と自称しているようだが、無人カメラがとらえた証拠写真に目を凝らし、自然の発するメッセージを読み解こうとする姿は、さながら「森の探偵」だ。動物たちが起こした事件を裏付ける証拠写真は、本書の中にも多数収録されている。シャーロック・ホームズにとってのジョン・H・ワトスンとはいかないかもしれないが、「森の探偵」の物語の語り手のひとりとして、あるいは名探偵の推理をサポートする助手として、宮崎との対話をここに綴りたいと思う。

小原真史

第1章
動物たちの痕跡

けもの道の見つけ方

——宮崎さんがいつも使っているという無人カメラのシステムを見せてもらうため、日課となっているカメラチェックに同行させてもらうことにした。稼動状況の確認やSDカードの交換に行くのだという。中央アルプスのふもとの別荘地にある仕事場「むささび荘」を車で出発し、ホテルや飲食店が立ち並ぶ界隈を抜けて山のほうにしばらく進むと、屋根とベンチのついた休憩所が見えてきた。伊那谷が見下ろせるこの場所は、観光地のひとつになっているようだ。周囲に人気はなく、ツキノワグマもよく出るというのだが、特に大きな動物がいるようにも思えない。無人カメラはこの奥に設置してあるという。

ホイーッ、ホイーッ！

——その声は何ですか？

これはクマよけ用。突然はち合わせるのが一番危険なので、いつも相手に僕の存在を知らせるために大きな声を出しながら山を歩くようにしているのです。山の中というのは、何が潜んでいてもおかしくない世界だから、車から一歩足を出しただけでも、野生動物の存在を意識しなければならない警戒ゾーンだと思ったほうがいい。それをやらずに、いきなり車から降りて歩きだそうとしたところに、伏せていたクマが立ち上がって襲ってきた、なんて話はよくあるから。

僕はこうして山中に設置してあるカメラを見回っているのですが、普段からよく使い慣れた道ほど注意しなければいけません。僕が山中にひょっこり出かけるのと同じく、動物たちだってひょっこりとそこにやって来ているということは、十分に考えられる。ほら、カメラが見えてきましたよ。

——こんなに車道から近いところに設置されているのですね。歩いて3分ぐらいでしょうか、ちょっと意外でした。もっと山奥の道なき道を進んだところなのかなと思い込んでいたのですが。

実は僕のカメラは、だいたい車道から100メートル以内に設置してあることがほとんどです。理由は鬱蒼とした山奥より道路に近い開けたところのほうが動物たちの撮影確率が高いことが経験的に分かっているから。そして何よりも、カメラのメンテナンスが楽というのがあってね。ハチやクモがカメラまわりに巣作りをしてしまったり、時間の経過でネジの締めつけ部分が緩んでしまったり、バッテリーの消耗が進んでいたりなどトラブルがけっこうある。そんなことで、ドライバーやバッテリーを忘れてしまって再び車まで取りにこなければならないことも日常茶飯事だから。裏を返せば、それだけどこにでも動物たちが動きまわっているので撮影できるということでもありますが。

——設置してからも日々のパトロールが大変なのですね。現在は撮影データや日時もちゃんと記録されていますが、デジタルカメラ以前のフィルムカメラの時代は、フィルムをしょっちゅう交換しなければいけないし、無駄撮りも多くてさぞ出費もかさんで大変だったのではないですか?

デジタルカメラになってからは、管理も経費もだいぶ楽になりましたよ。昔は記録を取るために時計や温度計なんかを画面の隅に写るように置いておいて、あとからその部分をトリミングしたりと色々と工夫していました。当時は何か物体が赤外線を遮るとシャッターが切れるという

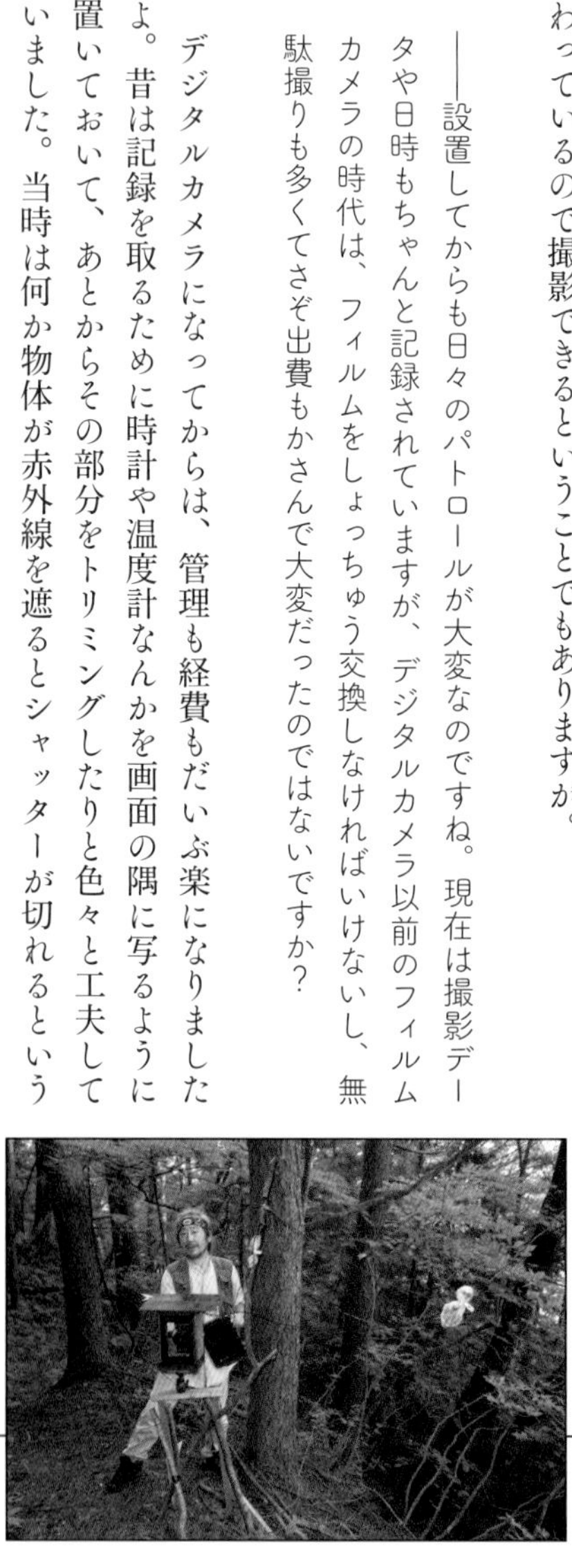

〈ノウサギ〉長野県、1983年

〈ニホンカモシカ〉長野県、1983年

仕組みだったので、雪や雨が降るとセンサーが反応してしまい、すぐにフィルム1本を撮りきってしまって大変でした。今使っているのは、動物が利用するけもの道に赤外線を当てておいて、体温のある動物がそこを遮るとシャッターとストロボが連動して撮影されるという仕掛けです。けれど、まずは動物の通るけもの道を見つけないといけないのは、今も昔も一緒です。動物の糞や足跡がある周辺を観察してみると、うっすらと踏み固められた一本の道が浮かび上がってくるのですが、これがいわゆるけもの道。人間に通学路があるように、動物にも決まった道があります。ほら、注意して見てみると道が見えてくるでしょう。

——うーん、正直なところちょっと分かりません。山の中のどこを見ても同じように見えてしまって。サインがあるのでしょうが、それに気がつけないというか。今のところどこを見ても引っかかるものがない感じなのですが、どうやって見つけたらいいのでしょうか？

ポイントは、その生き物たちの目線になって周囲を見ることです。例えば、タヌキやノウサギならば、彼らの目線は地上10センチメートルくらいのところにあるから、その高さまで体を落として自分の目で周囲を見渡してみると、自分が立ったままで見ていた景色とまったく違った世界がそこには広がってきます。その動物になったつもりでもう一度見てみれば、あそこなら歩けるなと思えてくるので、そのあたりを注意すると動物が踏み固めたような一本の道がうっすらと浮かび上がってくる。これが、ニホンジカやイノシシのような大型動物になるともっと道がはっきりして、道幅も広くなってくるわけ。ここはクマから人間まではばんばん写る。とにかく慣れればどんどん見えてきますよ。

――外国語に慣れてくるとただの音の連なりだったものが意味として入ってくるようなものですかね。おそらく視覚だけでなく、嗅覚やこれまでの経験を総動員した複雑な情報処理が一挙に行われているのだと思いますが、そういうプロセスを経てようやく見えない一本の道が見えてくるのでしょう。やはり足跡が一番大きな手掛かりになりますか？

そうですね、ただ足跡だけを探そうとしてもだめです。なぜかというと、イノシシやシカは蹄を持っているから、人間で言えば堅い革靴を履いているようなものなので、足跡も比較的残りやすい。しかし、クマやサルやタヌキやキツネなど、ほとんどの動物は蹄を持っていないので、裸足で歩いているのと同じことになる。そうした柔らかい足の裏を持つ動物の場合は、雪の上や泥、砂地以外では足跡がなかなか見つかりません。体重が１００キログラムもあるようなクマが歩けばさぞかし大きな足跡が残っているだろうと想像するでしょうが、クマの足の裏はスポンジか堅めのゴム風船のように弾力性のある肉球になっていますから、足跡なんて普通の地面にはまったく残らない。だから、もっと簡単に見つかる糞や食痕、尿臭なども貴重な痕跡になるわけです。それらを複合的に組み合わせると、うっすら残った足跡も見えてくる。そこからけもの道を割り出す感じですね。

――確かに言われてみれば、ひとつそういった痕跡を見つけられれば、うっすらと道らし

〈ツキノワグマ〉長野県、2011年

〈山仕事の人〉長野県、2011年

きものも見えてくる気がします。ただ、まったくヒントなしで広大な山に入って自力で見つけろといわれたら無理かもしれない。自然の中に不自然な箇所を見出すということなのでしょうが、自然な状態も不自然な状態もあまり知らないので。

これぱかりは長年の経験の賜物ですね。雪の日なんかは足跡がくっきりと残っているから比較的分かりやすいけれど、ほかの季節は落ち葉の残り方や湿り方、草木の踏み跡、糞尿の痕跡、食痕、爪痕、匂いなど総合的な判断が必要になってくる。年中コンスタントに動物が通る場所もあれば、餌場などの関係で季節によっては通らなかったりもするからね。

――森の中にこんなに大掛かりな、しかも発光したり音を出したりする装置があって動物は警戒しないものでしょうか？

まぁ、何だろうって見ている動物とか、ストロボに驚いて飛び退くのもいますが、基本的には害がないと分かると特に気にしないという感じかな。

――動物の種類や個体ごとに反応もさまざ

上〈イノシシ〉長野県、2011年
下〈キツネ〉長野県、2011年

まなのですね。宮崎さんの無人カメラは、寒くても暑くても雨雪が降っても身じろぎもせず、文句のひとつも言わずにプログラムに従って目の前を動物が横切るのを延々と待っていてくれますから、最高の助手ですね。24時間警備態勢の宮崎さんの分身のようでもあります。

今は全国各地で20台くらい稼働しているから、それだけ優秀な助手がいるようなものかもしれないね。全部中古カメラだし、実際に助手を雇うよりずっと安い。自然は24時間、365日動き続けているから、僕もできる限りそれに対応したいと思っています。最初は僕も藪に隠れながら三脚を立ててカメラを構えていたのですが、動物はちょっとした衣ずれの音や気配なんかを感知するので、まあこれが難しい。何よりも身体を酷使し過ぎて病気になったこともあって、そんな理由で僕が無人カメラを使い始めたら同業者から揶揄するようなことをたくさん言われましたよ。

――体の酷使による失敗が無人カメラの開発に繋がったわけですね。揶揄というのは、どんなものですか？

「寒いところで待ってなくても楽でいいな」とか、「家で酒飲んでゴロゴロしているだけで写真が撮れるとは、それでも写真家なのか？」とか、

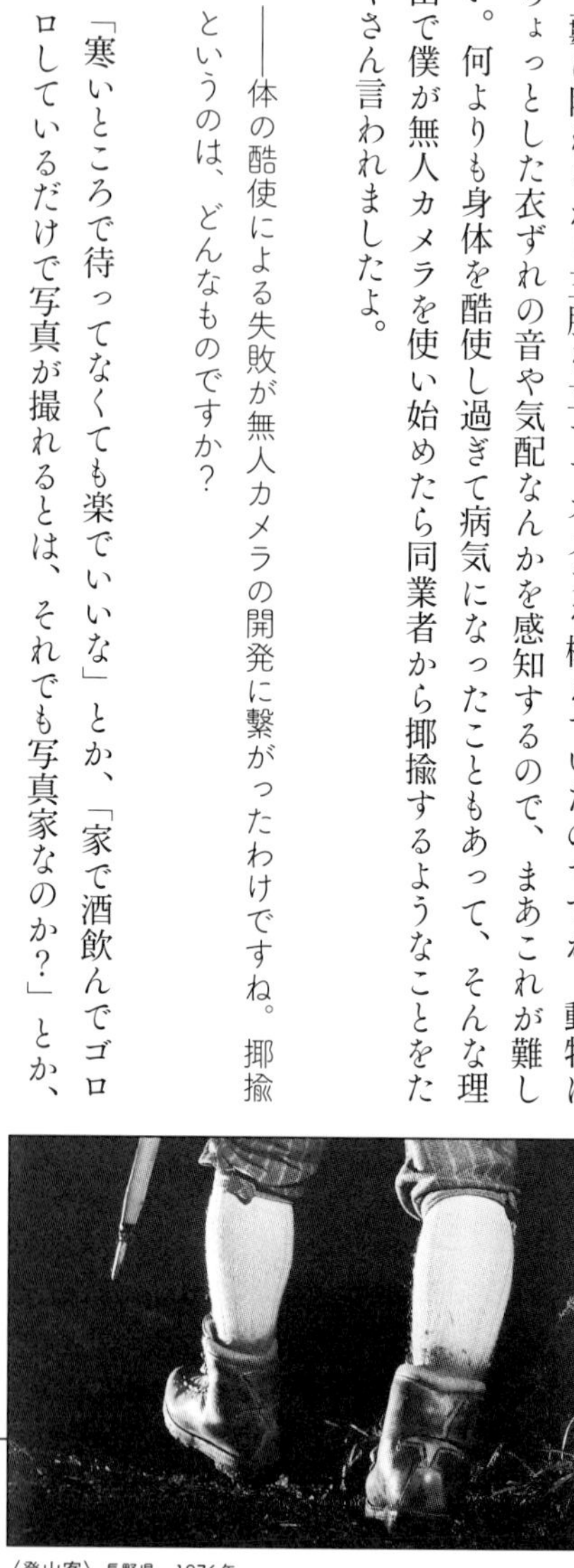

〈登山客〉長野県、1976年

「写真家は指でシャッターを押すのではなかったのか?」という感じ。もっとひどいのは、「野生動物は人間の匂いを嫌い恐れているから登山道になんて出てくるはずがない」というのもあった。

——新しい手法への拒否反応かもしれませんね。多くの人は今あるカメラの機材がスタンダードだと思っているのでしょうが、初期の写真師はレンズ蓋を開閉させていただけで、シャッターボタンなんてありませんし、今や液晶画面を触るタッチパネルとかミラーレスになっているくらいですから、時代や被写体によって撮影の形態も変わるのは当然です。指でシャッターボタンを押すカメラというのは、ある限定された時代の一形態でしかない。

当時はとにかく色々な批判が巻き起こったのですが、僕はそれだけ日本では動物や生態系のことを誰も知らないんだなと、逆に「しめた」と思ったぐらいです。

初めての自動撮影は、二眼レフという6×6インチのフィルムカメラを使って1回限りの撮影をするというものでした。自分がそこにいなくてもシャッターボタンとストロボを電気で動かして撮影できるようにして。山野に野ざらしにするカメラなので、風雨にも耐えられるようにプラスチックケースに収めました。苦労して設置した無人カメラで、初めて撮影が成功してタヌキが写ったときは、すごく嬉しかったですよ。何ものにも代えがたい自信にもなった。だって、そんなこと教えてくれる人は誰もいなかったから。それからも試行錯誤の連続ではありましたけど。

――そういえば、ニコンの社員の方が、宮崎さんが若いころに自分で穴をあけたり配線を変えたりして壊したカメラを「壊れたから修理してくれ」って持ち込むから困ったって言っていましたね。壊れたのではなくて、自分で改造して壊したのは対象外なのにって(笑)。

いやぁ、ときどき失敗しちゃうんだよね。今思えば、ニコンにはよく無理を聞いてもらいました。

初めての撮影のことを少し話しましょうか。そのときは地上10センチほどのところに、黒いミシン糸を横に張って撮りました。タヌキが歩いてきて、ミシン糸に触れたその瞬間にシャッターが切れるように、装置を作って。ただ、糸では一度動物に切られてしまうと、撮影も終わり。当時出たばかりのフィルムを自動で巻き上げてくれるモータードライブのカメラと赤外線光電管を使えば何枚も連続で撮れるから、もっとチャンスも広がるのではと思って、どんどん改良していきました。ちょうどエレベーターやバスの乗降口にビームを通し、そこを誰かが横切ったら自動ドアが開いたり閉じたりするシステムが普及し始めてきた時期でしたから、この装置を

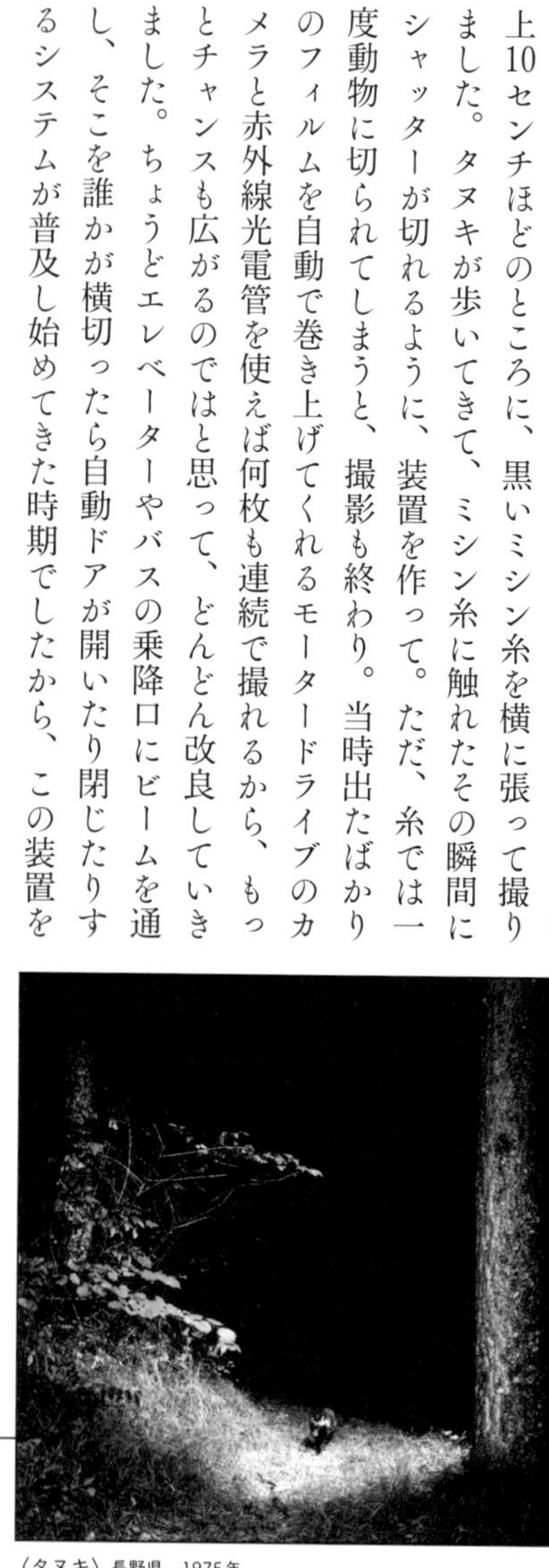

〈タヌキ〉長野県、1975年

〈工作室〉長野県、1982年

〈ヒメネズミ〉長野県、1977年

そっくり応用すれば、間違いなく動物たちの撮影ができると思ってね。

――今は公衆トイレにある手洗いや便器の水も赤外線感知装置で作動するものが増えました。ただそういう装置というのは、基本的には工業用のものですよね。

はい、しかも屋外で使えるようなものはひとつもなかったので、これは自分で作り上げるしかないなと。幸い電気に詳しい協力者もいたので電気回路はオリジナルで作ってもらいました。赤外線を発光・受光する光電管は、アルミの材料を旋盤で削って内面反射を防ぐためにメッキをかけてから光軸を安定させるレンズをはめて……そうやってようやく完成にこぎつけたというわけです。

――レディ・メイドのカメラは使わずにそこにプラスアルファしていくわけですか。カメラが盗難されたり、倒れたりということもあるのでしょうね。

あるある。だからカメラを仕掛ける場所は、落石や倒木を避け、森と馴染ませるようにカモフラージュしながら慎重に決めないといけません。冬は奥山に雪が降るので川の水量が安定しているけれど、夏はゲリラ豪雨などもあっていきなり増水することもあるから、カメラが流されてしまう可能性も視野に入れています。あと雨や雪でレンズが曇ってしまうことも多いし、クモやハチがカメラ本体やカメラの真ん前に巣を作ることもあるから、見つけたら強制移住ですよ。だから、虫たちが活発に行動する夏には、数日おきにカメラの様子を確認しなければいけなくて面倒ではありますね。

――宮崎さんのほうからカメラの前に動物を誘導することもあるのですか？

ありますよ。けもの道を通せんぼしたり、川に倒木で橋をかけたりしてね。倒木の上は動物も歩きやすいみたいで、誘導に便利です。

――カメラの前に動物に来てもらい、きちんとファインダー内に収まってもらうのもなかなか大変なのですね。ところで、このあたりにはペンションやホテルがたくさんあって観光客もうろうろしていますが、こんなに人が頻繁に通る遊歩道も動物が使うことはあるのでしょうか？

けもの道といってもさっきの目を凝らさないと見えないような山の中の道なき道だけではなくて、実は人間が作った遊歩道や登山道、車道、建物なども含まれます。やはりわれわれが歩いていて歩きやすいところを動物も普通に歩いているってこと。動物たちだってわざわざ面倒な藪漕ぎをしたくないのでしょうね。アフリカでゾウの歩く道を周辺に暮らす村々の人々が利用して目的地に行くように、日本ではシカやクマやイ

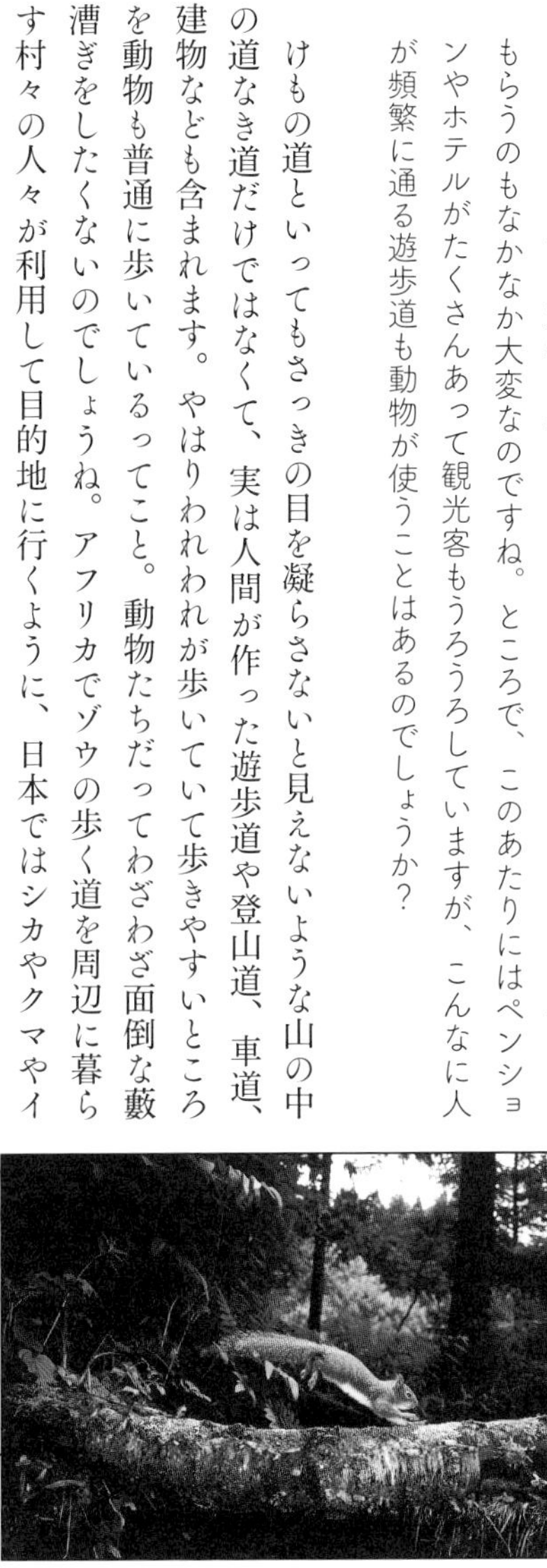

〈リス〉長野県、1982年

ノシシが歩くと、それより小さなキツネやタヌキやノウサギなどほかの動物がその道を利用しているのです。ちょっとこの近くにある遊歩道に行ってみましょうか。

この遊歩道があるのは標高750メートル、2006年から2年間無人カメラを設置したのですが、クマが何十頭も写りましたよ。ここから300メートルも離れていないところにも1980年代に無人カメラを設置したときには、クマが写ったのは、3年間でたった1回だったのに。2006年は、山は食料不足なんて言われていたけれど、丸々と太って毛並みもいいのがたくさんいました。あまりに頻繁に写るので、人里近くで生活し子育てをしているんじゃないかと思うくらい。この道の横にある小川をクマが渡って対岸のこちら側に来たのでしょうね。

――なぜそんなことが分かるのですか？

川の岩の上に苔が生えていない部分があるから、多分ここを足場にしているんだと思ってね。そういうちょっとした痕跡が動物の行動を教えてくれるのです。

この遊歩道を動物が使っているというのは、

上〈ニホンジカの糞〉長野県、2010年
下〈けもの道のカメラ設置風景〉長野県、2008年

〈ツキノワグマ〉長野県、2006年

糞がたくさん転がっていたのを見てピンときたわけ。それらを一度全て取り払い、そこにビニールテープや洗濯ピンチで目印をつけておいたら、数日後に大きさの違う糞が新たにあったりして、複数の種類の動物たちが現在進行形で利用していることが分かった。それでしばらくカメラを置いてみると、イヌの散歩に来た人や、ランニングする人、釣り客などに加えてサルやイノシシ、ハクビシン、テン、キツネ、タヌキ、ネコ、クマが写り込んでいました。さまざまな動物が縦横無尽に歩きまわっていることが明らかになりました。

――「自然」とか「人工」とか言葉で区別しているのは、人間だけですし、そういうふうに言葉によってカテゴライズしない動物たちにとっては、全て自然の環境と言ってもいいかもしれませんね。捕食者も被捕食者も大きな動物も小さな動物も、人間の生活圏のすぐそばで同じ道を共有しているのが面白いですね。人間は気づかずに無警戒のまま歩いているけれど、この日常が突然非日常になることだってあるわけですから。

デジタルカメラに記録された時間を見てみると人間が散歩で歩いたすぐあとにクマが通っていたり、ニアミスしていることもしょっちゅうある。クマは真っ黒だから藪の中に潜んでいたりすると気づかない。大きな身体のクマだから目立つと思っているかもしれないけれど、あの黒さがまさに自分を守る黒さなのだからね。たった1メートル横にいても葉陰で見えないことのほうが普通。クマは人間が通り過ぎるのをやり過ごしてから出てきているわけで、彼らのほうがうまくわれわれを避けてくれているのです。だからクマとニアミスしている中の、ごく一部だけが事件として世に出てきているだけ。ちょっと注意すれば、クマの痕跡なんていたるところにあります。「人間の気配があるところを野生動物が通るわけない」と昔も今も散々言われているけれど、写真を見ればうじゃうじゃいるのは一目瞭然です。

例えば、このあいだ幹線道路のそばで見たキツネは、稲穂と夕暮れの光に完全に同化して車の近くを堂々と歩いていたのですが、田舎に住んでいたって気づかない人はまったく気づかない。実は動物たちはそういう人間の無知を尻目に、橋や電線、ブロック塀、ガードレールといったあらゆる構造物を高速道路みたいにして使っているのです。

――人間よりも平均寿命の短い動物にとっては、人工物のある環境が原風景になっているということなのでしょう。地面だけでなくて空間を含めた全部が立体的なけもの道になっていると考えたほうがよさそうですね。けもの道があるのではなくて通ったところがけもの道になる。人間の体力や移動能力の範囲だけで自然を見ていると、なかなかそういう思

上〈電線の上を歩くニホンザル〉長野県、2010年
下〈ブロック塀の上を歩くテン〉長野県、2002年

考には至りませんが。宮崎さんは動物たちの残した痕跡からそこで過去に起こったことと未来に起こることを予想するわけですからちょっとした予知能力があるようなものだと思います。そして、そのようにして予知されて撮影された写真がまさに「動かぬ証拠」になる。

探偵みたいなものかもしれないね。証拠となる写真がなかったら説得力がないから、こういう写真を撮ってやろうというのが先にあって、そのための方法を色々と考えているのですよ。

――気配を消しながら獲物を仕留めるという意味でも、宮崎さんのカメラは最高の擬態をしているのでしょう。

そう、樹木の目を借りた撮影という感じかな。この無人カメラを通せば、日本の自然の成り立ちが見事に見えてくるから、僕にとってはなくてはならない道具になっています。自然というのは、「黙して語らず」なのですが、撮れた写真からそれを読み解くのが面白いのです。

〈キツネ〉長野県、2006年

〈ダルメシアン〉長野県、2006年

〈イノシシ〉長野県、2006年

〈ツキノワグマの親子〉長野県、2006年

〈けもの道のカメラ設置風景〉長野県、1982年

〈ソレノイドをつけた二眼レフカメラ〉長野県、1974年

〈けもの道のカメラ設置風景〉長野県、1976年

〈けもの道の撮影に使用した手作りカメラ〉長野県、1974年

——駒ヶ根の別荘地の一角にある宮崎さんのむささび荘は、仕事場というよりも怪しげな秘密基地のような印象だ。中に入ると何やら用途不明な金属の切れ端や機械類、コード類がそこら中に転がっていて足の踏み場もない。宮崎さんにとっては機材のために必要な部品なのかもしれないが、他人から見たらほとんどゴミの山にしか見えない。1990年に土門拳賞を受賞した際のトロフィーも埋もれてしまっている……。

宮崎学の仕事場

【みやざきまなぶのしごとば】

このむささび荘は、家族含め色々な人から汚いと言われますが、僕にとっては宝の山なのですよ。全て無人カメラのシステムを組み立てるために必要な部品ばかり。だから捨てられたり、勝手に掃除されて位置を動かされたりしたら困るのです。昔はもうちょっと綺麗だったような気がしますが、物が増える一方で。

世間ではもう使えないと思われているようなカメラも、工夫すれば優秀なカメラや機材の一部に生まれ変わるのですよ。だから僕は中古カメラばかりを買っています。この情報は、企業秘密だったのですが、実は無人カメラ用のストロボは、フジフィルムの「写ルンです」を分解して使っています。デジタルカメラがこれだけ普及したら、「インスタントカメラ（レンズ付フィルム）」がなくなるのは時間の問題でしょうし、生産中止になる前に大量にストックしてあります。昔はよく秋葉原に行って無人カメラ用の部品を物色したものですが、最近は100円ショップやホームセンターがけっこう使えますね。食品保存用のタッパーウェアや水道管用の塩化ビニルのパイプなんてカ

イワシ缶や鯖缶を用いた特製三脚
長野県、2017年

現在の仕事場の様子　長野県、2017年

メラやストロボの防水用にぴったりですから。

この特製三脚は、鯖缶に鉛を流し込んだものを土台にしてあって、ヘッドの部分は既製品から拝借して、鉛は友人の業者から。これだと重心が低くて地面に近いアングルでもびくともしないから具合がいいのです。ネズミみたいな小動物を低い位置で撮影したいときには、普通の三脚ではカメラ位置が高過ぎるし、だからと言ってコンパクトなものでは軽過ぎて森の中に設置するには頼りない。

売ってないものは自分で作るしかないと。まあ、貧乏人の知恵ですね。本来の用途とは違ったあり合わせの素材を組み合わせた「ブリコラージュ（器用仕事）」ってやつだよね。

これまで一番時間をかけてきたのは、自動シャッターのシステム作りです。野生動物を撮るためには絶対に必要だと思っていました。とにかく、自動的にシャッターを切りたい、という一心でしたね。最初に考えたのは、釣り用のテグスをけもの道に張っておいて、動物が触れるとシャッターが切られるという仕組み。2枚の薄い銅板のあいだに断電用の紙を挟んでおいて、動物がテグスに触れると紙につけておいた糸が引っ張られて、銅板が接触して通電するというものでした。それによって小型モーターが回転し、カメラのシャッターボタンを押すわけです。

　しかし、これは誤動作が多かったので、次に市販されていたマイクロスイッチを使うことにしました。動物がテグスに触れるとマイクロスイッチのレバーが動いて信号が送られる。その先には車のドアロックに使われている電磁ソレノイドを使ってモーターを動かしていました。これは、なかなかに調子がよかったですね。ただ、このやり方ではテグスが切れてしまったらおしまいなので、限界を感じました。それで赤外線光電管というものを使って、赤外線を用いたセンサーを完成させました。二眼レフのレンズをひとつ取り外して、アルミ材を旋盤で切り出したり、反射を防ぐためにメッキしたり苦労しました。その後も動物の体温に反応する焦電スイッチや、工業用の赤外線センサーを導入したり、装置のアップデートを続けています。

　刻々と変わっていく自然環境の中で狙った写真を撮るには、無人カメラの付属物も手作りする必要があって、例えば、急激に温度の変化があると防水用のハウジング（保護用のケース）が曇ってしまって、せっかく動物がカメラの前に来ても写らないことがある。そうならないようにレンズのまわりにニクロム線を貼って通電させ、定期的に温

レンズのまわりに貼ったニクロム線
長野県、1982年

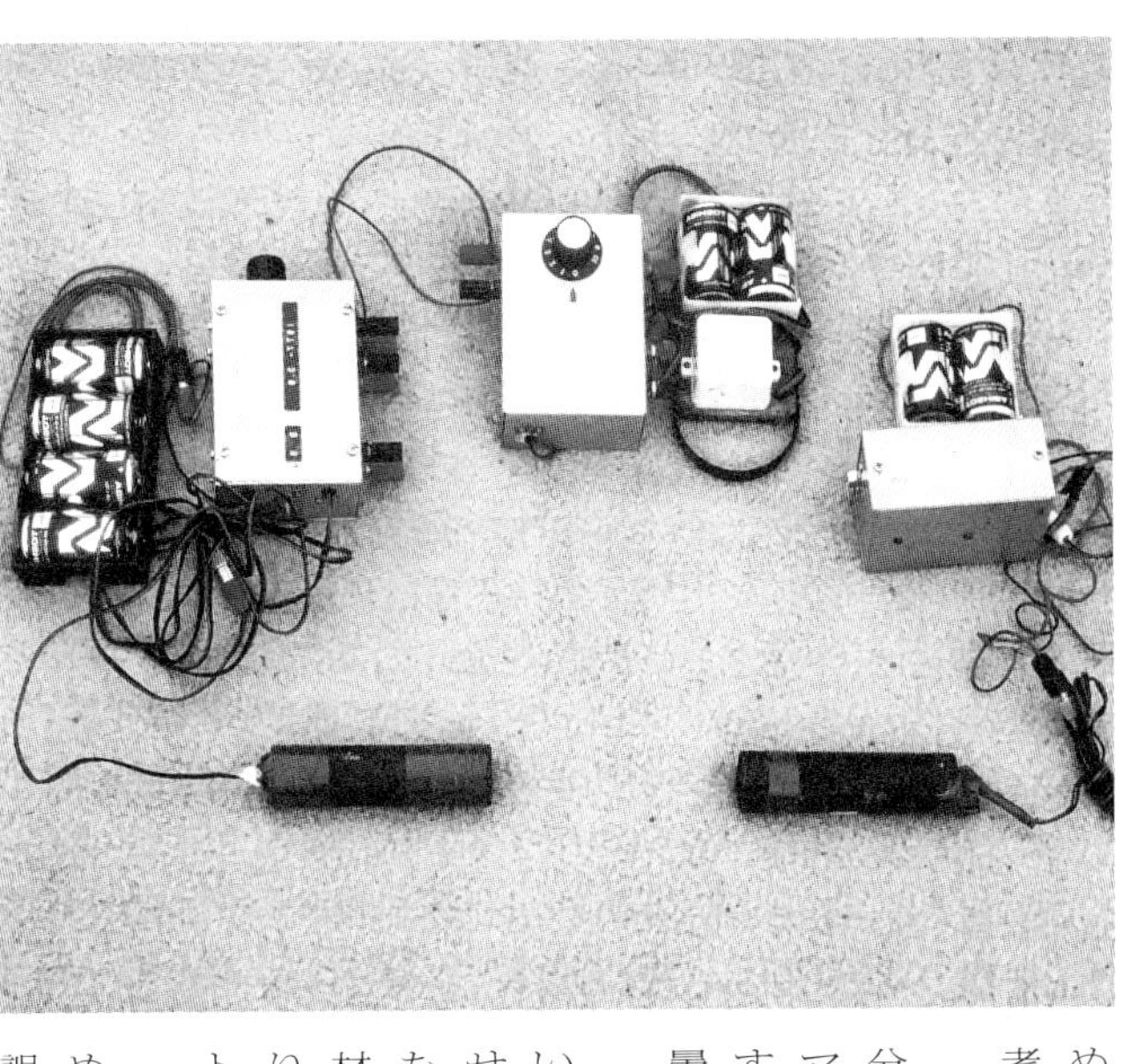
けもの道の撮影に使用した手作り赤外線光電管装置　長野県、1974年

めながら撮影するという方法を考えました。

　温め過ぎるとプラスチック部分が溶けてしまうから、タイマーで定期的に冷やしてやります。自動車のフロントガラスの曇り止めと同じ原理です。

　あとは、角材や板も多用しています。木は現場で目的に合わせてノコギリなどで切れば加工も楽だしね。こうした部品や資材は知り合いからもらってきたり、買い込んだりして常にストックがあります。

　僕は自分が撮りたい写真のためにどうしたらいいかを試行錯誤したり、機材を作っているときが一番楽しいかな。撮っているときは、現場にいませんから、機材を作ったり下準備の段階でほぼ結果が決まってきます。

　オリジナルな写真は、オリジナルの機材からってことですね。既製品だけに頼っていたら、その範囲内で撮れる写真になってしまうし、どうしてもほかと似てきてしまう。写真家として自立するには、機械系の知識や技術も当然必要なのです。もちろんハード面だけでなく、使いこなすソフト面も同様に重要で、こういう機材があれば誰でも同じように撮れるかというと、そうではないのですが。

——山を歩く際の宮崎さんは、非常に用心深い。常にクマよけの声を出しながら緊張の糸を緩めない。このことが10代から山で撮影を行ってきたにもかかわらず、これまで大きな事故に遭っていない理由のひとつなのかもしれない。近年、野生動物に人間が襲われる事故が頻発しているが、それを避けるための山歩きの秘訣を聞いてみることにした。

宮崎流山歩き【みやざきりゅうやまあるき】

僕は動物がどこにいてもおかしくないと思っているのです。例えば、ツキノワグマは人間の気配を感じたらまずは自分の身体を伏せてじっと動かない。そのようにして、3〜5メートル先に人間がいてもやり過ごすことができるのです。つまりクマはこちらに気づいているのに、こちらは気づけない。気づけない人間がずんずん進んでいっちゃって、これは逃げ場がなくてまずいと思ったときに初めてクマは敢然と攻撃に出てきます。そういうことにならないように僕は大きな声を出しながら歩くのです。いつもヨーデルのように甲高くて遠くまでよく通る声を出しています。そうすれば、動物の多くが「おっ、人間が来たぞ」と用心をしてまずは声の出どころの位置を確認する。それから距離を測って「これなら逃げられる」と判断したときはものすごいスピードで逃げて安全圏に身を隠すのが動物の本来の行動なのです。動物自身に判断と行動の心理的余裕を与えることになるので、僕はいつもこうしています。

あとは、移動中に見通しの悪いところに近づいたらあらかじめ大きな声を出して通過するようにしています。そうすれば、万が一近づきつつある僕の存在に気づいていない動物がいても、鉢合わせする前に逃げる態勢を整えることができる。現場の地形や環境を複眼で見るようにしながら先を読んで行動することが大事なのです。よく林道のカーブなど見通しがきかないと

倒木を通って川を渡る宮崎　長野県、2012年

ころには、「警笛鳴らせ」の標識がありますが、あれと同じだと考えていいでしょう。

ただ、山道と言っても、僕の歩く道はいわゆる舗装されている道路というものではありません。途中で崩れていたり、木が倒れていたり、灌木がいたるところにあって道を邪魔していたりして歩きにくいこともよくあります。だから僕は、山道を歩く際には、山用の小さなノコギリとナタ、剪定バサミを腰につけていきます。中でも剪定バサミは意外と便利で、顔にかかってくる小枝はチョキチョキとその部分だけを切り落として進めばいいですから、歩くときには重宝している道具でもあります。

また、クモの巣が顔にかかることほど気分の悪いことはありませんから、鬱蒼とした場所では1メートルくらいの小枝を顔の前で円を描くようにぐるぐる回しながら歩くことにしています。僕のベストやコートにはそうした小道具がたくさん入っていますよ。人間には動物のような優れた嗅覚や聴覚がありませんから、こうして道具の助けを借りつつ彼らと同じように数メートル先、数十メートル先に何があるか常にアンテナを張って行動することが重要なのです。

——ある日、宮崎さんの仕事場に泥棒が侵入したという。人間の泥棒対策には万全を期していたというが、野生動物の泥棒対策には穴があったようだ。幸いにも被害は軽微だったらしいが、一体犯人は誰だったのだろうか？

我が家のリンゴ泥棒【わがやのりんごどろぼう】

ある日、帰宅したら部屋の中に小動物のものと思しき糞と尿の跡、それに食べかけのリンゴがありました。大事な機材のコード類もかじられていました。

リンゴを盗むテン　長野県、2007年

糞の大きさから小動物だろうということはすぐに分かったのですが、戸締まりはちゃんとしていたので、「くそ、こいつはどこから入ってきたのか」と不思議に思ってよくよくまわりを見てみると換気扇から下に伸びているコード近くの土壁が一部剝がれて白くなっていました。

「ははーん、ここか」と部屋の中に無人カメラを仕掛けておいたら数日でテンが写りました。壁が白く剝がれていたのは、テンの爪跡でした。どうやら換気扇の羽の隙間から入ってコードとカーテンを伝って降りてきているようなので、無人カメラで狙ってみるとテンの侵入経路と証拠写真をばっちり押さえることができました。おそらく部屋の中に置いてあったリンゴの匂いを外から嗅ぎつけたのでしょう。入ったはいいけれど、丸ごと口にくわえて運ぶにはリンゴが大き過ぎて換気扇からは外に出られないことに気づき、慌てて部屋中をうろうろしたのか、色々なところに尿や壁をかじっ

た跡がありました。結局出口は入ってきたのと同じ換気扇の隙間しかないということになり、

右 換気扇から侵入するテン 長野県、2007年
左 換気扇から逃亡するテン 長野県、2007年

仕方なく食べかけのリンゴを残して同じ場所から出ていったようです。ただ、一回成功した個体は何度も同じことをやるので困ったものですよ。二度目は、換気扇の隙間から持っていけるようにリンゴも半分かじって小さくしてから持って出たみたいです。

　それからしばらく経ったある雪の日、玄関近くのブロック塀に積もった雪の上にテンの足跡がくっきりと残っているじゃないですか。平らなブロック塀って歩きやすいから、犯人はバイパス代わりに使っていたのでしょう。広角レンズをつけた無人カメラを仕掛けて侵入直前のテンの姿を撮りました。

　また、これとは別の個体なのですが、近所のそば屋さんが、同じように換気扇から入ったテンにキッチンをめちゃくちゃに荒らされたと愚痴っていました。同じようなことを考えるやつがいるのですね。けもの道というのは、屋外に限ったものではなく、動物たちは屋内や周辺の構造物を立体的に使って上手に移動しているのです。便利なものは何でも利用していて、われわれが「まさか」と思うようなところがけもの道になっていることがあるのですよ。

――宮崎さんが道路に沿って掘られたコンクリートのU字溝に無人カメラを仕掛けたようなので、チェックを兼ねて一緒に行ってみることにした。この溝にはまって出られなくなる動物がたくさんいるのだという。そういう視点で見てみると、山と道路の境目に当たる場所に、長い落とし穴が張り巡らされている形になっている。

野生動物たちの落とし穴

【やせいどうぶつたちのおとしあな】

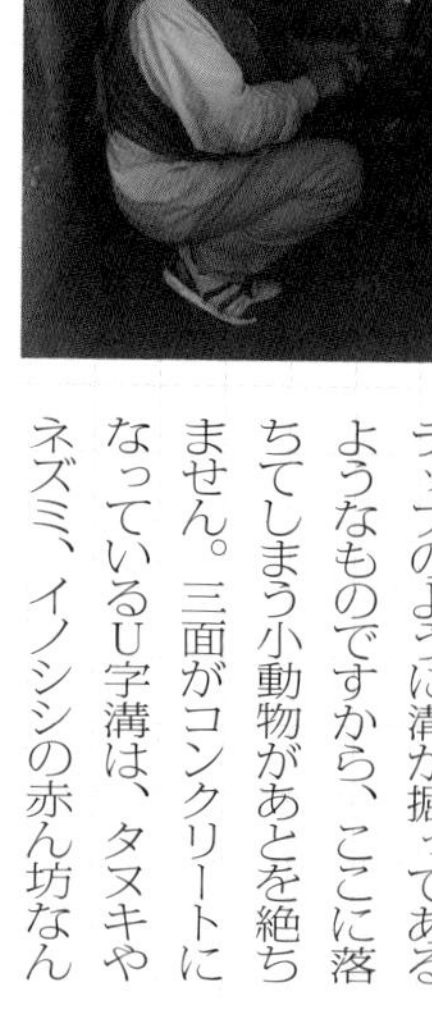

無人カメラが外から見えないように、天板があるU字溝の中に仕掛けてあります。ここなら車がバンバン通っても誰にも怪しまれずに中を撮ることができるし、僕の体も隠れてカメラのチェックも楽だからね。ただし、しっかり固定しておかないと大雨が降ったときにカメラも流されてしまいます。ちょうど山から道路に下りてきたところにトラップのように溝が掘ってあるようなものですから、ここに落ちてしまう小動物があとを絶ちません。三面がコンクリートになっているU字溝は、タヌキやネズミ、イノシシの赤ん坊なんかは、ツルツル滑ってしまって一度落ちたら出られず、じきに衰弱死してしまいます。

沖縄のやんばるの森ではヤンバルクイナやリュウキュウヤマガメといった希少種がここに落ちて出られなくなってしまうので、溝の一部にスロープが作られていたり、片側の傾斜を緩くして登りやすくなっていたりと対策がされているようです。

前にニホンザルがここで昆虫

ニホンザル　長野県、2016年

を捕まえて食べている様子が写っていましたが、彼らは90度の傾斜角があっても平気で登っていきます。そうやって、ここを食堂やハイウェイ代わりに使っている動物もいるみたいですね。

こうしたことをあまり気にせずにコンクリート三面張りのU字溝が全国の道路脇にたくさん作られているのが現状ですが、一部の動物たちにとっては、下手したら命を落とす重大な障害となっています。どこにでもあるようなありきたりの場所なので、誰も注目しないけれど、そういう場所で起こっているドラマを撮りたくてこの場所にカメラを設置してみました。雨の日に死んだ動物がU字溝を流れてくる様子を撮ってみたいのですが、僕のカメラは体温に反応する赤外線感知システムなので、なかなか難しい。まだ体温のある瀕死の状態の動物が流れてきたら撮れるのかもしれませんが。

こうした道路と側溝によって動物たちのすみかが分断されているわけだから、そこを彼らが横切って事故が起こるのは当たり前のことです。人間が普段あまり気にも留めないこうした人工の構造物が思わぬ落とし穴となっている場合もあるのです。

フクロウの棲む谷

——80年代に宮崎さんがフクロウを撮影していたという「フクロウ谷」へ車で向かった。宮崎さんは何もない場所で車を停めると車を降りて脇道に入っていった。かつての農道のようだが、今は下草が伸び放題になっているため昨夜の雨が残した水滴でズボンの裾が濡れる。少し歩くと小川の流れる開けた空間に出た。よく見ないと気づかないが、一本道の周辺には、かつての田んぼのあぜ道らしき跡がわずかに残っている。食料が乏しかったころは、この狭い谷を切り開いて農業をしていたのだろう。今は過疎化が進み耕作放棄地となっているため、ひっそりと静まりかえり人の気配はなかった。200メートルほど進むと、目的のフクロウ谷に到着した。幅50メートルほどのこの谷底が、フクロウの棲む「森のスタジオ」となっていたのだ。

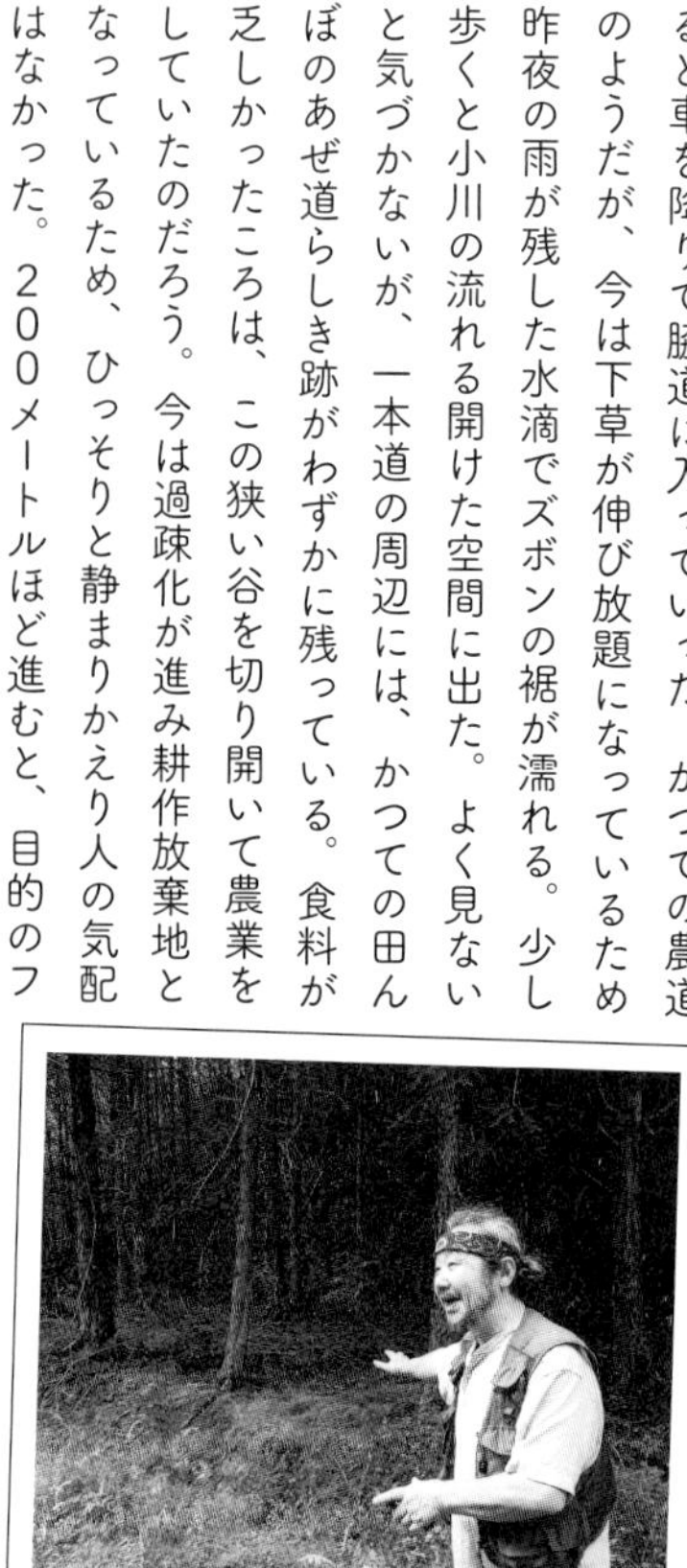

僕はこの中川村の生まれなのですが、10代のころはここの棚田でまだ農作業をしている人がいてカエルの鳴き声がものすごくうるさかった記憶がある。もう今は、猟師以外入ってこない場所になってしまいましたが。この近くにフクロウの巣があることを教えてくれたのは、農作業をしていた当時88歳のおばあさんでした。そのおばあさんは、子供のころに自分のおじいさんから聞いて知ったようですから、おばあさんの先先代前からフクロウはずっと同じ木の樹洞に巣を作っていることになる。フクロウは世代を超えて100年も樹洞を使うのか、すごいものだなと感心した覚えがあります。

――ここのフクロウは、主に何を餌にしていたのでしょうか?

見ての通りずっと棚田でしょう。トノサマガエルがたくさんいて、フクロウは足を泥だらけにしながら捕まえていましたよ。奥行きが1キロメートル以上もある谷間に、棚田が点在していたこともあって、フクロウはノネズミが主食だと聞いていたけれどトノサマガエルばかり巣へ運んでくるのですよ。10代の僕はフクロウとネズミの組み合わせを夢見ていたのに、泥だらけの汚いフクロウしか撮影できなくて悲しい思いをしました。当時は農薬も使わない米作りだから、そりゃトノサマガエルがどっさり棲息しているわけだよね。夜はフクロウの声もかき消されるほどの大合唱。あのころは「うるせえ!」って思いましたが、棚田が放棄されて山林に還りつつある今の状態を見るとトノサマガエルの写真も、時代を語るという意味では貴重だったなと思いますね。

――写真は寝かせれば寝かせるほど味が出てくる漬け物みたいな面がありますからね。もちろんそうならない写真もあるのですが。ある程度の時を経ないと見えてこないものもある。

50年も前のことだからかなりの古漬けだけどね。そのころは、夜行性のフクロウというのはほとんど撮影されていませんでした。夜間にどのように飛翔しているのか、どこに止まるのか、どのように鳴くのか、どのように子育てをするのか、などまったく分からないことだらけで、そんな行動を知りたいという挑戦意欲に燃えていました。10代のころはフクロウが撮りたくて一晩中寝ないで望遠レンズで狙ったのですが、真っ暗で何も見えないこともあって全然うまくいきませんでしたが。

――70年代に「けもの道」のシリーズで無人カメラのシステムを確立してから、有人カメラで手に負えなかったフクロウの撮影に再度挑んだわけですね。腕試しのような感じで。

見えない世界に挑戦してみたい、写真という形で可視化してみたいという欲求が膨らんできて、僕も30代になっていたので、その時点で自分の技術への賭けもあってどこまでできるのか、フクロウで試してみることにしたのです。

長期戦になることが予想されたので、まずは夜間、フクロウがやって来るところに照明がつけられないかと考えました。とにかく夜行性のフクロウの動きを少しでも目視しないと始まらないと思ったからです。車のバッテリーを使って、12ボルトで光る車内用の蛍光灯を何本か使うことをやってみました。でも、10メートルくらいはぼんやり見えるのですが、その先はまったくの闇夜でした。肉眼ではおぼつかないこともあったから、暗いところでも見える双眼鏡も使いました。それでもまだまだ思うようにいかない。それならもういっそのこと電柱を立てて山の中に電気を引いてしまおうと考えたのです。そこで、調べてみると1年以上使用する契約なら40メートルおきに電柱を立てて、6本までは電力会社が無料でやってくれることが分かったのです。要するに、240メートルのところまでは電気を引くことが可能だった。ただ、それでは目的の谷までは全然足りなかったので、自分で木の電柱を立てて、1キロメートルも延長しました。誰もいない場所なので、ここからは自費で引くしかないですよ。そんなに延長するとどうしても電圧が落ちるので、スライダックという機材で電圧を調整したのですが、あの機械は事故が多いので、今思えばけっこう危ないことをしていたのだなと思います。

こうして照明を手に入れて、フクロウの観察をしながら色々なアイデアを練り始めたわけです。

——フクロウを撮るためにずいぶんと初期投資をされたのですね。写真集『フクロウ』(平凡社／1989年)が第9回土門拳賞受賞作になったので、投資が実を結んだことになりますね。ちょうど景気もいいころだったので、時代が宮崎さんの写真をあと押しした部分もあるかもしれません。ところで、撮影のための観察小屋は1箇所だけですか?

思い切った投資をしないと利益も出ないのですよ。まぁ、僕の場合は頼まれてやっている仕事でないから、投資をしても仕事に繋がらないことが多いですが(笑)。

当時は谷底の見える山の斜面に間隔をあけて3箇所観察小屋を作りました。冬の夜が寒いので、保温効果を考えて屋根は中で座れる程度に低くして。なるべく体力を使わないように尿瓶を持ち込んだりしてね。逆に夏は暑いので、屋根の天井とトタンのあいだに断熱材となる畳を敷いてしのぎました。毎日のように観察小屋から望遠鏡でフクロウの飛ぶコースや習性を確認しながら撮るためのアイデアを練っていたのですよ。自転車操業ではあったのですが、あのころは原稿料も今よりよかったので10年くらい続けられました。

最大で年間200日くらいを観察小屋で過ごしましたから、寝ても覚めてもフクロウでした。ただし、眠いときは無理せず眠ってなるべく身体を自由にしながら体調を崩さないように気をつけていました。若いころ、フクロウを待っているあいだに寝てしまわないようにコーヒーを飲み過ぎて胃潰瘍になったり、寒地での無理がたたって入院した経験があるので、先回りして注意するように心がけました。

——体調管理も仕事のうちということですか。若いころの失敗が無人カメラの写真家を生んだとも言えそうです。しかし、年間200日とはほとんどフクロウと同居していたような状態ですよね。野生動物を望遠レンズなどで遠くから狙うのではなく、山の中に個人スタジオを作って自分のテリトリー内に野生のフクロウを呼び寄せていくような作業だと思

〈フクロウの観察小屋〉長野県、1985年

〈フクロウの観察小屋の内部〉長野県、1984年

うのですが、せっかく大掛かりな舞台を作ってもカメラの近くまでモデルに来てもらわなければ始まらないですよね。警戒されることなくどのようにフクロウをその場所に常時来るよう仕向けたのでしょうか？

まず止まり木用の枯れ木をいくつも谷に立てて、そこにフクロウが来たら小型センサーが作動して電磁カウンターがカウントするように設定しました。こうして無人のままでその夜何回来たのかが分かるようになりました。夜中にそんな木に止まるのは、フクロウ以外には考えられませんから、回数を見ながら傾向と対策を練ったのです。今だったら１００円ショップに売っている万歩計を使いますね。あれは内部を1箇所ハンダづけするだけで、電磁カウンターに早代わりするので便利なのですよ。彼らが好む木だけを残して、それをモデルになるフクロウ用の小道具にすることにしました。シャッターの音やストロボの光にいちいち驚かれてはいけないので、その木に止まったらラジオが鳴ったり、照明がついたりするようにして、徐々に慣れさせたという次第です。しかし、照明はけっこう研究しましたよ。当時、友人の画家の原田泰治さんにストリップ劇場に連れて行ってもらったのですが、照明が気になって上ばかり見ていたら「学、お前どこ見てるんだ！」って叱られたのを覚えています。

――いい話ですね。自分だけ研究熱心みたいに聞こえるのでちょっとずるいような（笑）。宮崎さんの方法は、人工光や人工音のある環境を自然化したということだと思います。

ライティングがすばらしいので、「森の賢者」と呼ばれてきたフクロウの神々しさがよく出ています。谷底をスタジオ化する際に、木を用いるという発想はどこから来たのでしょう？

江戸時代に害獣のネズミ駆除のため、田畑に木を立てて、そこにフクロウが止まるようにしてネズミを食べさせ、天敵利用していたというエピソードを何かの本で読んでピンときたのです。木を立てた次の日からすぐに止まりましたよ。どのように写るかデコイ（模型）で試していたら、その上に止まったのは、面白い写真になりましたね。フクロウは、木の上で首を左右に振りながら360度全体を見渡すことができますから、餌探しも効率よくやっています。そして獲物を見つけたら音もなくサッと舞い降りて捕まえる。でも、よく考えたら「梟」という字の通りなのですよね。「木」の上に「鳥」という字の略体で「梟」。漢字を作った中国人はそういう立木に止まるフクロウの姿をよく見ていたのかもしれません。フクロウの死体を木の上に晒して小鳥たちを脅したことからこの字になったという説もありますが。

——まさに「名は体を表す」ですね。斬首した人の首を木にかけて晒すことを「梟首（きょうしゅ）」と言いますが、晒し首というのは、フクロウが木に止まっているように見えるからかもしれません。

宮崎さんの写真は、一本の木を舞台にしてフクロウが役者のようにくるくるとポーズを変えて写っているようにも見えます。撮影だけでなく演出家や照明家、機材技師、大道具係などひとりで何役もこなしているようなものだから大変な作業量ですね。

〈猛スピードで舞い降りたフクロウ〉長野県、1988年

しかし、それほどまでにフクロウの生息域をうろうろして宮崎さん自身は警戒されないのですか？

フィルムの交換のときに油断していて一度背後から蹴られたことがありますよ。ノウサギでも簡単に掴んでしまうような爪ですから、目の保護のために100円ショップで買った網ザルを顔に被っていました。でも基本的には、遠くから望遠鏡で観察しているだけですし、撮影するとしても人の気配のない無人カメラでしたので、うまくいきました。フクロウも僕の存在に時間をかけて慣れていって最終的には3メートルくらいまで近づいて対峙できるようになりました。こいつは安全だと認識されたということだと思います。僕の印象では、彼らは顔や服装を見ているというよりも、足音を聞いていた感じがしました。どんな服装をしても向こうの態度は変わりませんでしたから。歩き方というのはそれぞれの癖で音の違いがあるので、それを頼りに判別していたのかもしれないです。

――フクロウは目も恐ろしくいいみたいですね。夜になるとものが見えなくなることを「鳥目」と言いますが、フクロウには当てはまらない。ハンターとして相当優れた能力を持っている鳥です。

そんなフクロウだから、実際の撮影には色々と工夫しましたよ。例えば、フクロウが木のところに飛んできたらシャッターがストロボと連動するように赤外線装置を仕込んだり、フクロウの飛ぶコースに光を吸収する黒い木綿糸を張り巡らせて糸が写らないように撮影するなどなど。「犬も歩けば棒に当たる」から思いついて「フクロウも飛べば……」ということでした。空間がすっきりと開けているような場所は、フクロウだけでなくコウモリや野鳥たちも頻繁に利用しています。

――空中にある見えないけもの道を押さえるのですね。こう飛ぶだろうというコースを思い描いてそこに糸を張って羽が触れたらシャッターが切れると。ギャロップする馬を撮影したエドワード・マイブリッジもコースに糸を張ってカメラを並べ、馬が糸を切ることで連続撮影を成功させていますから、撮影の契機を自分以外のものにまかせるというのは、いくつか前例があります。人間の肉眼を超えるものをカメラという機械はとらえられるわけで、それまでは走っている馬の四肢がどうなっているのか正確には分からなかった。

ほかにもアメリカで「動物写真の父」と呼ばれているジョージ・シャイラスという写真家がいるのですが、彼と同時代の写真家たちは糸に餌をつけたりして、それが引っ張られたらシャッターが切られるような無人カメラのシステムを100年以上前に考案しています。ただ、それだと装置自体が写真に写り込んでしまうこともあり、不完全な方法でした。宮崎さんが使っている赤外線というのは、質量を持たない糸のようなものですから、暗闇における黒い木綿糸の装置と同じで、存在するのに見えないという技術ですね。

そうですね。フクロウがネズミを獲る瞬間に眼球保護のために目をつぶるとか、羽をぐっ

〈フクロウの襲撃〉長野県、1974年

〈宮崎とフクロウの記念撮影〉長野県、1988年

〈ノネズミを捕まえる瞬間のフクロウ〉長野県、1988年

と広げてブレーキをかけるなんていうのは、肉眼では絶対確認できないですから、僕も写真を見てようやく気づいたことです。基本的には赤外線を使った無人カメラによる撮影なのですが、樹洞の中の撮影は、鳴き声を聞きながら遠隔操作のリモコンでシャッターを切りました。営巣する前に樹洞に無人カメラのシステムをあらかじめ仕込んでおいてね。当時はフィルムですから、250枚撮りのフィルムマガジンを組み込んで入れておきました。

――営巣から巣立ちまで限られた回数しかシャッターが切れないというのは、なかなか厳しい条件ですね。フクロウの鳴き声をヒントに撮影するとは、どういうことですか?

250枚という限られたフィルムしかないとなると無駄打ちできない。見えない樹洞の中で今何が行われているのかを想像しないと無駄は減らせません。そうなると手掛かりは音しかないということで、鳴き声を聞きながらフクロウの言葉と行動を何とか解釈できるようになったのです。僕の観察によると、だいたい16種類くらいの鳴き声を使い分けながら餌を獲りにいくオスと巣の中のメスがコミュニケーションを取っていました。オスは喉袋を風船のように膨らませて、2キロメートル以上先でも聞こえる鳴き声を出します。一方、メスは喉袋がないので、小さなダミ声のような感じでせいぜい100メートルほどしか聞こえません。声も大きく出したり、ほんとに小さく出したりしているから、それらの声で

〈フクロウ谷の撮影スタジオ・昼〉長野県、1982年

予測をたててシャッターを切っていたのです。しかも200メートルも離れたところから遠隔操作するのですから、まさに一度限りの真剣勝負でした。

樹洞の中で外部の音がどう聞こえているか気になってマイクを入れて調べてみたことがあるのですが、穴が集音装置みたいになっていて2キロメートル以上離れた農家のイヌの鳴き声や郵便配達のバイクの音まで聞こえてきました。まわりを歩く動物の足音は、マイクを通して僕でも分かるくらいでした。それにフクロウというのは、耳の位置が左右でずれていて、立体的に音を聴き取れるようになっているのですよ。


――「耳を傾ける」という言葉がありますが、両耳が同じ位置にある人間は、聴き取りづらいときに頭を傾けて左右の耳の位置を変えることで音源を聴き分けて位置を探ります。耳に手を当てるのも樹洞のような集音装置を耳のまわりに作るという効果もありますから、そういう意味では無意識にやっている仕草も理にかなっている。

フクロウの鳴き声というのは「ホーホー」というのが一般的に定着していますが、地方によって鳴き声の聞こえ方や呼び方のバリエーションがかなり多い鳥ではありますね。昔は東京付近から信州のあたりまでは「ノリツケホーセ」と聞こえていて、子供はフクロウを「ノリツケ」と呼んでいたようです（柳田國男『野鳥雑記』／甲鳥書林／1940年）。世界中でフクロウが畏怖すべき霊鳥と考えられていたのは、森の奥から響き渡る神秘的な鳴き声のせいもあると思います。

ところで、鳴き声のパターンはどういうものがあるのでしょう？

〈抱卵中のメスにノネズミを届けにきたオスのフクロウ〉長野県、1984年

〈フクロウのヒナ〉長野県、1984年

鳴き声は基本的には、オスが鳴いてそれにメスが応えるパターンが多いです。例えば、「お腹がすいたから早く餌を持ってきて」、「今、餌探し中」とか、「餌を持ってきているのに、どこにいるの?」、「ここにいますよー、早く持ってきて」とか、「警戒しなさい」とか、子別れの時期には、「これ以上来るな、あっちへ行け」という感じですね。毎夜毎夜耳を澄ませて聞いていたら、姿が見えなくてもだんだんとフクロウの行動が手に取るように読めるようになりました。

――フクロウ谷に留学してフクロウ語を習得したようなものかもしれませんね。写真家はどうしても視覚偏重になることが多いのですが、宮崎さんの撮影の場合、目だけでなく耳や匂いや触覚などが総動員されている。その意味では、日々全ての感覚を研ぎ澄ませて生存競争をしている動物と似ているところがあるかもしれません。

ところで、撮影当時はカエルが多かった棚田も既になくなっていたはずですが、フクロウの餌はどうしていたのですか?

実はそれが一番大変でした。観察小屋とは別に餌となるネズミの飼育小屋を畳2畳ほどのスペースで作りました。フクロウの演出をするディレクターだけでなくて食事を持ってくるADまで自分でやらねばならないのですよ(笑)。ただ、全然繁殖がうまくいかなくて苦戦しました。

フクロウを観察していたら9月から11月上旬にかけては、ひと晩で30匹くらい、年間2500匹もネズミを食べることが分かったので、大量生産しないと追いつかない。効率のいい繁殖法を色々と考えて実験動物となる医学用のマウスを取り寄せたのですが、扱いがけっこう難しくて、例えば、子供を産んだネズミとその子供をほかのネズミと隔離して置いておいたら、何度やってもなぜか産んだ子供を母親が食べてしまいました。ほかのネズミがごちゃっと一緒にいるほうがうまくいった。あとはネズミが子供を産んだ直後というのは、子宮が綺麗になっているためだと思いますが、妊娠しやすかったので、そのタイミングでオスをあてがってどんどん交尾させたりしました。妊娠期間はだいたい17〜21日くらいです。尿が臭いし、餌代もかかるし、温度管理も難しいしで、試行錯誤の連続でした。

――フクロウを撮るためにネズミの繁殖ができるようにならないといけないとは、ハードルが高いですね。撮影よりもそれに至るまでの助走のほうがずっと長いような。無人カメラの撮影というのは、狩猟的ではありますが、農業的というか、作物を収獲しにいくような感じもあるのかもしれません。宮崎さんのところに弟子入りしたいという人が来ても助走のところで挫折するでしょうね。

難しいでしょうね。何せ写真を覚えたいのにネズミの飼育からですから（笑）。そういえば、せっかく育てたネズミたちがアオダイショウに食べられてしまったこともありました。捕まえて遠くまで捨てに行っていましたが、2、3キロメートルくらいだと簡単に戻ってきてしまったので、10キロメートルくらい遠くに捨てたらさすがに戻ってこなかった。ある日、アオダイショウが穴から小屋に入り込んで腹一杯ネズミを食べたのですが、そのあとどうやら腹がつかえて出られなくなったようで、小屋の中に入っている頭の部分だけがネズミに食われてしまい、肉のついた尻尾だけが外に出ていたことがありました。

——「クマのプーさん」と違ってかなり悲惨な結末ですね。こっちのほうがだいぶリアルで教訓的ですが。しかし、そのおかげでフクロウ谷に常にネズミがたくさんいる状態になったのですね。

のちのちには、谷底にコンパネを敷いておいて、その下にノネズミが巣を作るように誘導もしましたよ。ノネズミが安心して寝たり憩ったりするには、雨が漏らない環境が必要です。このため、コンパネやトタン板があると、その下の表土に巣を作ったりトンネルを掘ったりして棲む習性があります。山野で風倒木の下にノネズミが暮らしているのを見つけて思いついたのです。風倒木では細くて限界がありますから、コンパネか波トタンを広く敷けばより多くのノネズミたちが安心して棲めると考えたのです。

ノネズミの繁殖は秋のピークと春のピークがあるのですが、それはフクロウが冬越しの前に栄養を蓄える時期と春の繁殖期とにうまく重なっているのです。春は植物が一斉に芽吹くので、サラダを食べるようにネズミも新鮮な若芽を食べます。また、昆虫なども多く発生しますから、その死体も蛋白源にします。そして、気候がいいこの時期にはノネズミも子育てをしますから、ひとり立ちしたフクロウのヒナもネズミの数が多くなっていて獲りやすいのです。たくさん獲ってもネズミ社会にダメージが少ないことを、フクロウは計算に入れているのでしょうね。

そのあと、秋に繁殖ピークがあるというのは、冬を前にして植物が結実の時期を迎えることと関係しています。ネズミにとっては穀類の餌がふんだんにあるから、ここでも子育てが可能となってフクロウはどんどん秋に増えたネズミを食べることができます。

——捕食者と被捕食者とが同じ増減の曲線を描くわけですね。そしてそのベースには生産者である植物の活動が重なっている。

そうそう。秋にネズミを多く食べることのできたフクロウが多く卵を産んで、少なかったフクロウは卵も少ない傾向にありました。ということは、体内ホルモンなんかの働きで半年先にネズミが多いか少ないかが計算できているのではないかな、と思いました。動物は生まれて1年目に命を落とす個体が多いですから、秋はちょうど巣立ったフクロウが冬の獲物が少なくなる厳しい時期までに狩りのテクニックを身につけるという意味でもすごく重要。だから、秋の繁殖ピークは自然界の与えた親心のようにも思えてしまうのですよね。春は純粋に子育てのために親もネズミを食べるけれど、秋はその子供が大人になるための狩りの学習塾みたいなものだね。

〈雪が降り積もったフクロウ〉長野県、1985年

——ネズミだけがやたら増え過ぎてもフクロウだけが増え過ぎても自然の全体にとっては不都合なわけですからバランスが崩れないようにうまく連動しているのですね。

ところで、観察小屋の中にはどのようなものを持ち込んでいたのですか?

撮影機材に加えて調理道具、食料、調味料、洗面道具、寝袋、カセットコンロなど生活と撮影に必要なありとあらゆるものです。何せ年に200日ですから。ずっと観察するのは体力的にしんどいので、フクロウの存在を知らせてくれるブザーを作って、目覚まし代わりにして効率をあげていました。そんな生活にも、だんだんと慣れてきて夕方から夜の1時ごろまでには仕事を終えられるようになりましたよ。小屋から延ばしたコードが、フクロウが求愛行動をする枝を狙っているカメラと繋がっていて、求愛の鳴き声が聞こえてきたらスイッチを押して5台全てが同時に作動するようにして、どれかに必ず写るようにしていました。

——まるで千手観音みたいですね。こちらは樹洞の中の撮影と違って数撃ちゃ当たる方式ということですか。撮りたい対象やシチュエーションによって全ての機材が微妙に違ってくるというのは、大量生産の画一的な既製品に頼り過ぎてはできない仕事だと思います。既製品プラスアルファを自分で補って微調整することで、初めてちゃんとその環境で写る。

〈フクロウ谷の撮影スタジオ・夜〉
長野県、1982年

〈フクロウの観察小屋の外観〉長野県、1982年

適材適所ということです。小屋の壁面に撮りたいフクロウの姿を描いた絵コンテを貼っておいて、その通り撮れたら剝がしていき、全部なくなったときに撮影が終了しました。

――あらかじめスケッチをしてそれがイメージ通りに撮れたら完成というのは、意外ですね。動物自身がシャッターを切るようなものですから、完成のイメージの多くを偶然性に委ねると思いきや、自分の撮りたいイメージは予見されていて、先の未来に照準を合わせて動物たちをはめ込んでいくというのは、意思の通じない相手になかなかできることではないと思います。綿密なシミュレーションのなせる技なのでしょう。動物の観察や分析に基づく予知能力のようなものが問われるという意味では、猟師にも似ています。

ただ、猟師のように対象を撃って殺すのではなく、僕は撮影して、反射した光をカメラで受け止めるわけですね。猟師というのは、仕留めることが最優先なので、動物の習性については案外観察できていなかったりもするのですよ。僕は写ったものをヒントにして、そこからさらに動物の習性や自然の仕組みについて考えるようにしています。だから、写った動物たちから教えてもらったことは、これまで数え切れないほどあるのです。

〈求愛給餌中のフクロウ夫婦〉長野県、1988年

〈草むらで獲物を捕まえたフクロウ〉長野県、1988年

〈ノネズミを捕えたフクロウ〉長野県、1987年

——森のフィールドだけでなく、宮崎さんの仕事場・むささび荘の庭にも、大小さまざまな撮影装置が組んである。知らない人が見たら怪しげな発明家の拠点から粗大ゴミが放置されているようにしか見えないかもしれないが、実際に無人カメラを設置する前の試作場として活用しているようだ。この庭には鳥類のほかにモモンガ、テン、ネズミ、リス、サルなどが頻繁に顔を見せる。

庭のスタジオ【にわのすたじお】

この庭は資材置き場でもあるけれど、実際に野生動物をカメラの前に呼び寄せて撮影もしています。というのも、森の中での無人撮影には昆虫や植物、風雨などの伏兵がつきもの。だから、実際にカメラを仕掛ける前に、機材の防風・防水性を確認したり、気温や湿度の変化で機材にどういったトラブルが起きる可能性があるかをまずここでチェックします。特にレンズは常に外気にさらされているから、気温の変化にともなって曇りや水滴が発生しやすい。そのあたりも視野に入れてフードの長さも決めるようにしています。

　何せ自然が相手なので、こっちの都合は聞いてくれない。あらゆる天候にも耐えられるようにテストを繰り返して、自分でデータを把握しなければ野外なんてカメラを設置できませんから。

　ここでは森で拾ってきたドングリやクルミ、ヒマワリの種、廃棄されたパン、賞味期限切れのインスタントラーメンなどをあちこちに置いて餌場にしてあります。頻繁に行くことが難しい山の中とは違って自分の庭だから、他人の許可なく自由に使えるのがいい。

ネズミのジャンプを狙う装置　長野県、2016年

例えば、この装置はカメラの近くに止まり木を置いてカケスの飛翔態やリスのジャンプを狙っているのですが、放っておいても自動でどんどん写る。ただ、動物たちはドングリやクリ、クルミなど中身の詰まったいい実だけを持っていくので、秋の餌拾いはなかなか骨が折れます。

ネズミを狙っている装置もあって、彼らはツルツルした場所だと登れないから、苔の生えた石を踏み台代わりに適切な場所に置いておくと、舞台裏が写ることなくネズミがジャンプする様子が撮影できる。背景が暗くなっていることもあって誰もこういう写真を家の庭で撮っているなんて思わないでしょう。動きの速い彼らにピントを合わせてフレーム内のしかるべき場所に収めるのは、実はすごく技術がいるのです。

兎にも角にもまずは、彼らにカメラの前に来てもらわなければいけないので、そのための工夫が必要になってくるということです。

スタジオ写真のような撮り方

カケス　長野県、2014年

なので、ネイチャーフォト系の人からまた宮崎は邪道だ、と言われそうだけどね。餌だけでなく動物の毛を置いておいても、鳥が巣材用に取りにきたりして面白いですよ。僕は飼いイヌをブラッシングしたあとの毛をいつも拝借していたのですが、春になると巣作りに励むシジュウカラが一生懸命持ち帰っていく。彼らの巣箱にどうかと思って、海で使うような浮き玉に穴をあけて庭に吊るしてみたところ、案の定すぐに入ってくれました。こう話すと簡単そうに聞こえるかもしれないけれど、巣箱の穴ひとつ取ってもそれぞれの動物の好みに合わせる必要があるの

ヤマガラ　長野県　2015年

キジバト　長野県、2015年

ヒヨドリ　長野県、2015年

です。こうして庭として囲ってある場所でも、動物たちはそんなことに関係なく自由に出入りして賢く利用していきます。餌や巣材はモデル料の代わりといういうところかな。

このようなスタジオを身近に作って、思い通りに撮影をすることは若いころからの夢でした。ヌードにしてもポートレイトにしても記念写真にしても人間の撮影は、スタジオでやることがあるから、それの野生動物版があってもいいんじゃないかな。ただ、演出のきかない動物に思い通りに動いてもらう必要があるので、発想力が求められるところではある。このように僕の庭は、自分の総合的なスキルを確認したり、試行錯誤の場にもなっているのです。

動物たちの住宅事情

――動物たちの住宅事情を調査するため、宮崎さんが定点観察をしているという場所に向かった。草で覆われたスキー場のゲレンデを四輪駆動車で登り、中腹あたりで車を降りて脇の林に入ると、何やら工事現場のように大掛かりな足場が組んである空間に出た。一本の木のそばに鉄パイプが梯子状に組まれ、2メートルほどのところまで上がれるようになっている。冬はスキーリフトに乗った人たちからも気づかれそうな位置だが、一見しただけでは何の装置なのかは分からない。足場の上部には、4台の無人カメラがセットされていて、レンズが向いている先に目をやると、木の表面に直径5センチほどの小さな穴があいている。足場には「ここで、野生動物の調査研究撮影中です。機材類には手を触れないようにお願いします」という注意書きが入ったラミネート紙が貼られているのだが、こちらは人間対策のようだ。

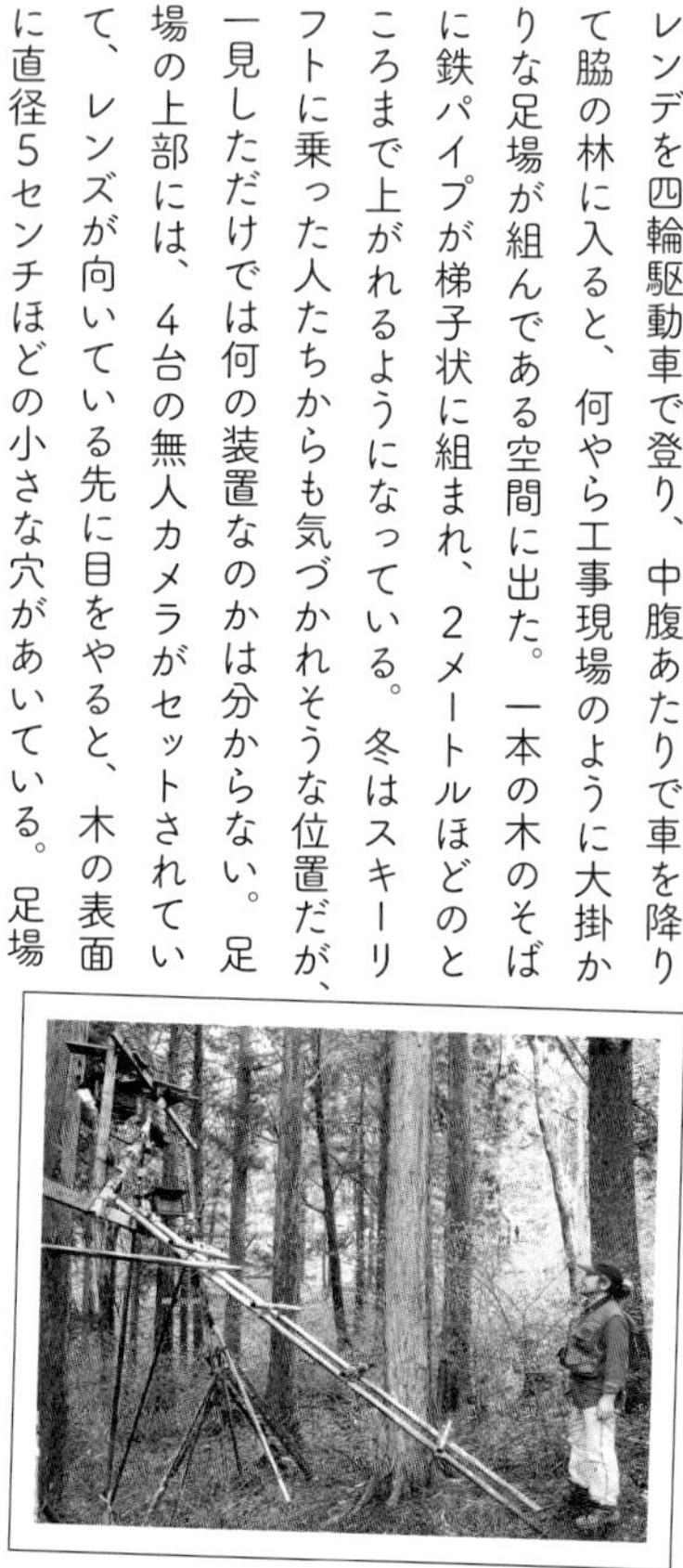

ここの地主に許可をもらい、工事用の鉄パイプで足場を組んで、この木にあいた樹洞の観察をしています。樹洞はその大小を問わず、さまざまな生き物が身を隠したり寝たり休んだりするためになくてはならないものです。ただし、木に自然にできるものだから、建て売り住宅のように規格サイズなんてものはなくて、穴の入口が大きくても中が狭かったり、その逆もあったりする。雨漏りもすれば、隙間風がヒューヒューということもある。動物たちは、季節を問わず穴があれば覗きこんで部屋探しをしています。千差万別の樹洞から、自分に適したものを探し当てるためにね。ちょうどいい大きさの樹洞は貴重なので、ここにもモモンガやムササビ、テンなどが頻繁に来てチェックしていて、けっこう面白いのですよ。

——自然の中では樹洞のような気密性の高い場所というのは貴重でしょうから、巣作り期の前には争奪戦になりそうですね。安全な場所の確保は、あらゆる動物にとって死活問題です。人間もかつては洞窟や雨風をしのげる空間を動物たちと争っていたかもしれません。

クマなんてライバルだったかもしれないね。ここの樹洞には色々な動物が覗きにきていて、先客がいると潔く諦めるか、徹底的に戦って奪い取るかのどちらかを繰り返しています。中でも意外としぶといのがヒメ

〈ムササビ〉長野県、2011年

ネズミで、いつもちゃっかり巣作りをしてしまう。その点、ヤマネはネズミやモモンガたちみんなに負けている感じです。樹木に機械で穴をあけてそこを観察したことがあるのですが、ムササビは入口が小さくても内部が広く大きいと分かると、すぐに入りたいと思うらしく、穴のまわりを齧って入口を広げて入ってしまったことがありました。樹洞は直径30センチもあればクマだって覗きに来ますよ。

――ひとつの樹洞をめぐってさまざまな動物たちの駆け引きやドラマがあるのなら、定点観測にはぴったりなテーマですね。宮崎さんの写真は1点ではなくて、連作で見たときに初めて意味が生じるものが多いと思います。

ところで、ヘビのような動物も樹洞を使うのでしょうか?

すみかにも使うし、餌を探すのにも使っているようですね。アオダイショウは冬眠して夏だけ活動するから、とにかくそのあいだに獲物を食えるだけ食うわけ。このため、夏は樹洞ばかりを覗いていて、そんな習性を知っているネズミやモモンガは、ヘビの活動するシーズンは樹洞を使わないことが多い。たと

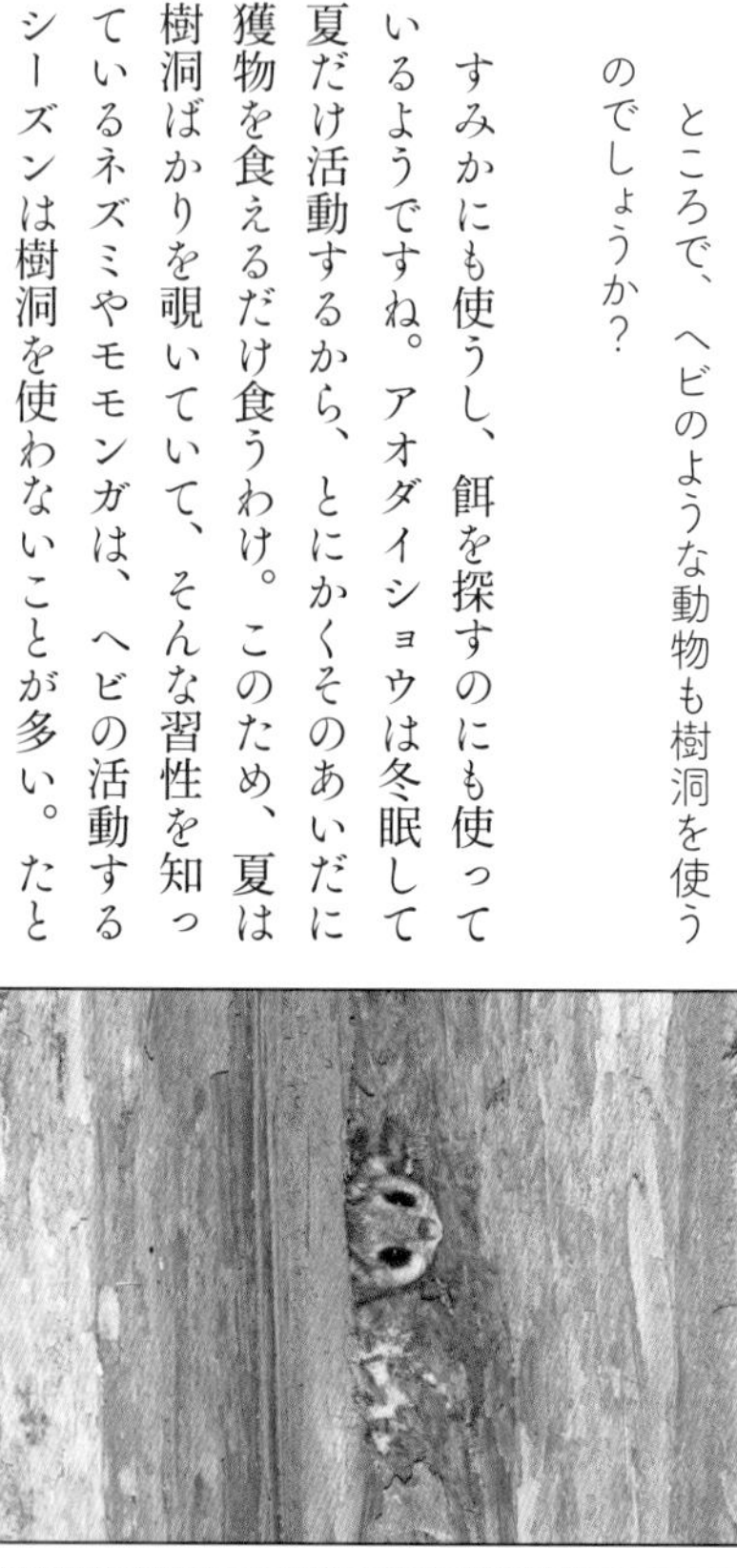

上〈モモンガ〉長野県、2011年
下〈モモンガ〉長野県、2011年

〈ムササビの夫婦〉長野県、2015年

え使っていても、ヘビのお腹——つまり「蛇腹」——にある足代わりのたくさんのうろこが出す音を察知できるから、ヘビが近づいてくるといち早く樹洞から逃げ出してしまう。

——樹洞の中にいても常に警戒を怠れないなんて自然界は厳しいですね……。野鳥が巣を作る場合はどうなのでしょうか?

ヤマガラやシジュウカラは、春一番の子育てに始まって、2度目、3度目があるのですが、ヘビ対策のため巣穴を地上から高い位置に選んで巣作りする習性がある。それでもヘビたちは、樹木の幹を垂直にどんどん登ってきて、入口が狭い樹洞だと大きなアオダイショウは胴体で塞いでしまうので、内部にいる野鳥は逃げられず、親鳥はもちろんのこと、卵までヘビに食べられてしまうこともあります。

——そうすると、シジュウカラのような小さな野鳥が、ヒナの糞を外に運び出して離れたところに捨てるのは、衛生面の問題だけでなく、匂いに誘われてやって来る天敵による危険を減らすという意味もあるかもしれませんね。

しかし、こんな小さな樹洞を撮るためにこれだけ大掛かりな装置が組んであるとは、おそらく誰も思わないでしょう。出来上がった写真には被写体の逆側にある機材の様子や撮影前の苦労は写らないですから、ときどき苦労の裏側を見せたほうがいいですね。

自分でシャッターを押していないこともあって、簡単に撮っていると思われがちなのですよ。以前、カラスの巣を撮影した『カラスのお宅拝見!』(新樹社/2009年)という本を出しましたが、あれだって全部木に登って撮っているのだから、実はけっこう大変でしたし、「鷲と鷹」のシリーズを撮っていたときなんて、木の上で一晩過ごすことも珍しくなかった。でも、僕にとっては、知られざる世界を見て知って、それを写真という視覚言語で語りたい、ということのほうが大切で、どうしても苦労したことを忘れて先走ってしまう。だから時給換算したらすごく低いと思いますよ(笑)。

――24時間365日が仕事みたいなものですね。『カラスのお宅拝見!』の中には、東京の大手町のオフィス街の写真もありましたが、よく捕まらなかったですね。皇居近くは警官も多いので、不審者扱いされなかったですか?

大手町の場合は、多少人が集まっていました。自慢じゃないけれど職務質問はよく受けますよ。鳥の巣を見ていて面白いのは、巣材から周辺の環境が分かること。例えば、近くに馬の牧場があれば、馬のしっぽの毛が使われていたり、海があれば漁網が使われていたり、マンションがあればハンガーや下着、生理用ナプキンが使われていたりして、場所によって巣材も千差万別。人間の家作りを真似するようにグラスウールと

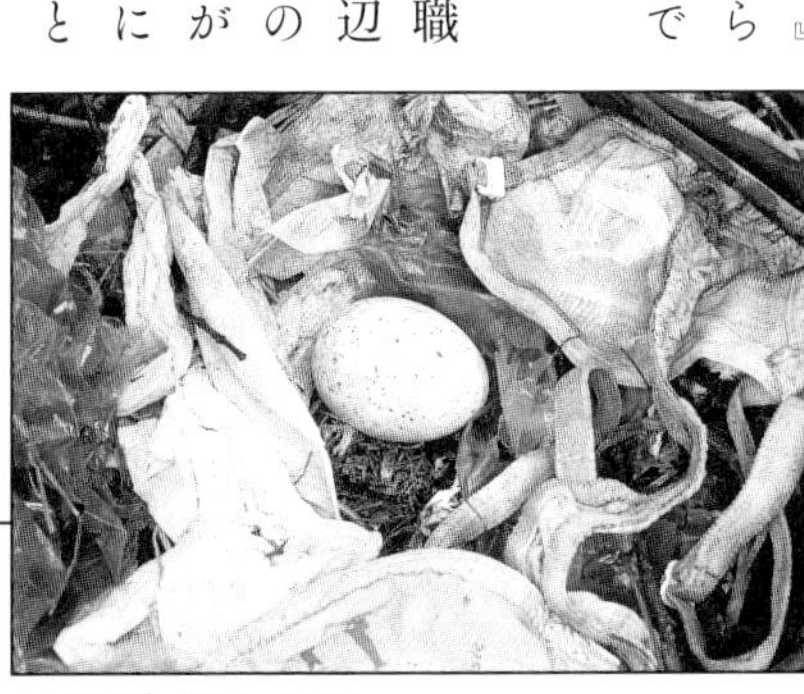

〈トビの巣〉滋賀県、1992年

〈樹上の宮崎〉沖縄県、1979年

いう断熱材が全国各地のカラスの巣に入っていたのは面白かった。断熱材とは知らずに建築現場から拾ってきたのでしょうが。

——自然界にも斬新な素材を使うユニークな建築家がいるようですね。

昔のカラスは山の奥に巣を作っていたのですが、今では庭木や街路樹にも平気で作るようになって人間社会の懐深くまで入って来ている感じですね。カラスは、普通は前年に営巣した場所の近くに巣を作りますが、僕が撮影した場所は、翌年からぱったり来なくなりました。今どき木に登る時代錯誤の人間なんているわけがないと、高を括っていたところに、僕が来たから、驚いて引っ越したのかもしれません。

——僕の小さいころは、木登りをして遊んだり巣にいたずらをしたりする子供も少しはいましたから、鳥たちも警戒していたのかもしれませんが、近ごろはそんな子は見なくなりましたね。

そういえば、一度山の中で木に登ったときに白髪が大量に使われていた巣を見つけたことがあります。もしかしたら近くに老人の死体でもあるのかと思って、そそくさと立ち去ったのですが。

——推理小説のネタになりそうな話ですね。鳥たちも人間の日用品や動物の毛などをうまく組み合わせて快適なすみかを作っているのでしょう。あり合わせのものを組み合わせてブリコラージュするのは、人間だけでなくて、動物たちもわりあい柔軟にやっているのですね。都市には、巣の材料となる高い気密性を持ったゴミがたくさんありますから、選択肢も広がります。

放置されたコンクリートブロックの下に作られた巣や、洗剤キャップを被ったヤドカリなんていうのもいました。人間は30年くらいで世代交代しますが、野鳥やほかの動物は、そのスパンがもっと短いので、生きている時間の中で一番手軽で手っ取り早いところに走っているのだと思いますよ。

ただ、ホオジロという野鳥だけは、人工物をまったく使わないから不思議でした。同じような環境にいるカワラヒワやモズなどはビニル紐やテープとか、われわれが日常的に目にしているような、極めて時代に合った「新建材」を用いて巣を作っているというのに、かたやこのホオジロの保守性は何なのかと考えてしまう。同じ自然環境に身を置いて生活している野鳥たちも、種類によって保守派と改革派が分かれている。

——同じ鳥類でも種や個体によって人工物の利用法に差があり、全てが一斉に同じ方向に行かないというのも、リスク管理という点では重要なのかもしれない。ただ、こういう推測は結果から原因を探っているので、なかなか難しいところなのですが。

ところで、最近すみかを見つけるのに苦労している動物はいますか？

スズメは、住宅難で困っている感じがします。僕が小学校のころは、木造建築が普通だったから、スズメは民家の板壁の節穴に出入りしてよく巣を作っていたけれど、板壁がモルタルやトタンに変わると、場所を奪われて今度は瓦屋根の隙間に出入りするようになりました。それが最近では、新建材が普及して壁から屋根まで住宅全体が穴や隙間ひとつなく精巧にできているから、家探しに苦労しているんじゃないかな。

――確かに巣を作れる場所が減っているのか、住宅街で以前ほどスズメを見なくなった気がします。僕は建材の四角い鉄骨の中に巣をよく見かけます。

電柱の鉄骨の中にもよく巣を作っていますね。

――スズメは、人間の活動領域とその外部領域とのグレーゾーンみたいな場所をすみかにしている動物ですが、長いあいだ人間の近くに棲んでいながらも近づくとすぐに逃げてしまいます。かつて人間に食べられていたことによる警戒心がまだ残っているのかもしれませんね。作物を荒らすということで駆除されてきた歴史もありますし、江戸時代には食用にされて

〈スズメ〉長野県、2002年

〈大手町のカラスのヒナ〉東京都、1999年

〈水抜きパイプを巣にしたキセキレイ〉長野県、2016年

〈人家の軒先に巣を作ったヤマガラ〉長野県、2009年

〈洗剤キャップを背負ったオカヤドカリ〉鹿児島県、1995年

「焼き鳥」になっていたみたいですから。

かつてはスズメをはじめ色々な野鳥が食べられていたはずなのに、今や「鳥肉」と言えば、ニワトリのことだけを指すようになっています。

スズメが泥でできたイワツバメの巣を乗っ取ることもあるのですよ。スズメは巣の内装に枯れ草を使うので、ツバメの巣から藁屑のようなものがたくさん出ている場合は、スズメがツバメの巣を乗っ取ってそこに棲んでいることになる。ただ、スズメは英名で「Tree Sparrow」と呼ばれているくらいだから、本当は森にも棲めて、僕が7歳くらいのときには、畑のクワの木や校庭にあるスギの木のこんもりした枝の中に大きなスズメの巣がよくあった。だけど最近ではそんな巣はひとつもないから、スズメも時代環境に合わせて快適と思われるところにどんどん進出していったのでしょう。新建材の普及など、人間社会側の都合で巣作りができなくなってくれれば、昔のDNAが蘇って再び木の枝などに巣を作るスズメも出てくるかもしれない。そうした生命のシーソーゲームが長い時間軸の中で行われていると思います。

——森への出戻りみたいなことが起こりうるということですか。人間だけが快適な環境作りのために工夫したり進歩したりするわけではなくて、動物たちも環境や時代の変化に合わせて棲む場所も方法も柔軟に変えていっているということになりますね。ほかの動物種に一番影響を与えている動物の筆頭は人間なのでしょうが、そんな環境の変化にもうまく対応しながら生息している野生動物たちの存在というのは、近くにいてもあまり気づかないかもしれません。

樹洞の話に戻りますが、フクロウが入れるほどの大きな樹洞は、数として足りているのでしょうか？

僕が勝手に呼んでいるだけですが、フクロウには「庄屋フクロウ」と「間借りフクロウ」がいて、庄屋のほうは代々立派な樹洞を引き継いで100年間ほど使っているのですが、間借りのほうは、崖にできた穴とか空き家の屋根裏、床下、ワシやタカが使わなくなった巣を占拠して使っています。ワシやタカはせっせと枝などを集めて絶えず補修するけれど、フクロウはそれをやらないので、巣材を昆虫やバクテリアが食べてしまって、たいてい3年くらいで巣に穴があいて朽ちてしまう。

ワシやタカはヒナが糞を巣の外に向けて勢いよく放つ習性があるため巣が汚れにくいのと、餌の生肉を巣の中で解体するので、親鳥は殺菌効果のあるマツやヒノキなどの針葉樹の青葉がついた枝を敷いて清潔に保とうとします。これに対してフクロウはネズミなどを丸呑みする習性があって、巣の中で獲物を解体することはあまりないし、ヒナは糞を巣でグニュグニュっとしてしまうので、その糞を食べて分解する昆虫たちが出現してきて巣の中に棲みつく。そのため巣はどんどん傷んで、やがて穴があいてしまう。

——居心地のいい空間はほかの動物にとっても同じように働くとなると、駆除されるリス

〈巣に戻るフクロウ〉長野県、1991年

〈漁業ブイを巣にしたシジュウカラ〉長野県、2012年

クがなければ、雨風をしのぐことに長けた人間のまわりが棲みやすいということになりませんか。家の軒やひさしの下には、よくツバメが営巣しますが、あれは人間のまわりにいることがヘビやイタチといった天敵対策にもなっているからですよね。人間の側も、ツバメが営巣すると縁起がいいとか、田畑の虫を食べてくれるということで昔から排除せずにうまく共生してきたわけですし。

そういえば以前、イワツバメの集団営巣地に棲みついていたアオダイショウを観察していたら、100個以上も巣が集まった団地みたいなところを虎視眈々と狙っていて、ヒナたちが成長をしていくのを待ってから1ヶ月もかけて食べ続けていたのを見たことがあります。しかも、多分同じアオダイショウが3年も続けてやって来て同じことをしていたからけっこう賢いやつだと思いました。

――アオダイショウをはじめヘビたちにとっては、春から夏にかけてが、食いだめの時期に当たるのでしょう。

樹洞の観察から見えてきたヘビと被捕食者との面白い関係があります。ツバメとかシジュウカラのような春から夏にかけて2、3回子育てを繰り返す小さな野鳥の2番巣、3番巣を見ていると、ヘビたちに卵やヒナを食べさせるために子育てをやっているようにも見えてきます。1年に2回も3回も子育てが成功すると、そこらじゅう野鳥だらけになってしまうでしょうが、ヘビたちはヘビたちで、冬眠に備えて夏場はどんどん獲物を食べるから、それでバランスを取っているようにも見えるのです。

――需要と供給のタイミングが合って、まるで野鳥がヘビに餌を提供しているようにも見えるわけですね。樹洞の利用者にとっては、入口は天敵が入れないように適度に小さい必要があって、大は小を兼ねないとなると、定期的に嵐が来たりして樹洞のもととなる大小さまざまな傷を樹木につけてもらう必要がありますね。

話はちょっと変わりますが、ベトナム戦争時にベトコン（南ベトナム解放民族戦線）がゲリラ戦を展開するためにジャングルに張り巡らせたクチトンネルを思い出しました。あそこは体格のいい米軍兵士が入れないようにわざと入口を小さく作ってあって、体の小さな仲間だけが入れるように工夫してありました。しかし、ああいう鬱蒼としたジャングルの中で絶えず注意を怠らないで生き抜くというのは、人間に限らず大変なことだと思います。人間はずっと昔に森を出てしまいましたけど。

ベトナム戦争時の米軍は、鬱蒼としたジャングルで見えないところから攻撃される状況に耐えかねて枯れ葉剤を撒いてしまったのでしょう。

――枯れ葉剤の製造元のひとつは、アメリカの巨大バイオ化学メーカーの

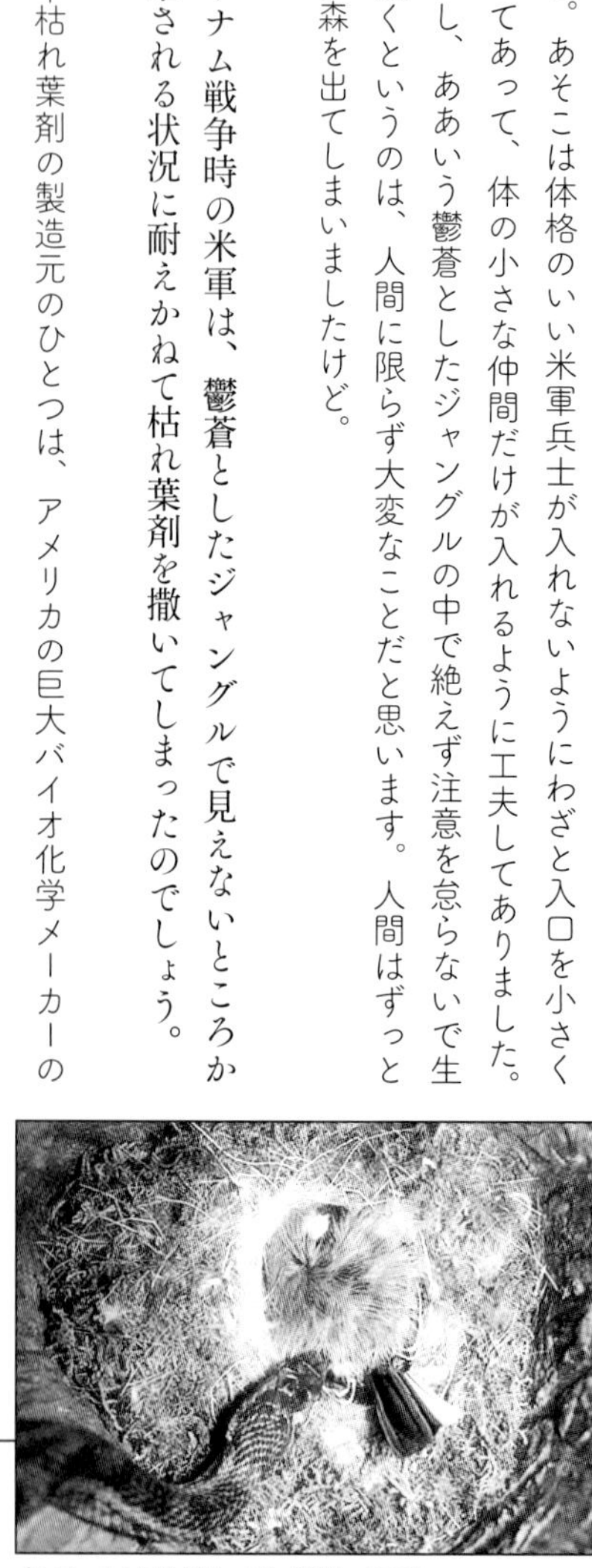

〈シジュウカラを襲うヘビ〉長野県、2010年

モンサント社です。今も発がん性があるといわれる農薬や遺伝子組み換え作物、強力な除草剤などで悪名が高い企業で、「環境最悪企業」などと言われましたが、２０１６年にアスピリンで有名なドイツの製薬会社バイエル社に買収されましたから、医薬品と食料を牛耳る巨大グローバル企業が誕生したことになります。

ところで、先ほど30センチの樹洞があれば、クマも覗きに来るという話が出ましたが、クマも樹洞で冬眠するのですか?

大きな樹洞があれば入ります。実はクマと樹洞の関係については僕の仮説があるのです。クマは樹木の幹に牙で傷をつけることがあるから、不思議に思ってその場所を定期的に観察してみると、幹の傷の周辺が腐っていって雨が入り、シロアリが時間をかけて穴を広げていきました。おそらく樹木が生長するとそこに鳥が入り、さらに穴が広がると小動物が入り、今度はフクロウが何世代にもわたって使うことになる。そして、最後にクマの大きな冬眠穴になるというのが僕の説なのです。つまり、ほかの動物や自分の子孫が寝られるような巣の準備を祖先のクマがしてあげているのではないかと考えることもできると。

――面白い説ですね。幹を傷つけて樹液を舐めているという可能性もありますが、それが結果的にほかの動物や将来の子孫のためになっているとも言える。それと比べてしまうと、われわれ人間の経済は、企業の決算とか1年やそこらの短期的な時間軸で動いていますから、ちょっと見習わないといけませんね。そこには未来の子孫も過去の祖先も不在なよう

〈ツキノワグマが傷つけた幹〉長野県、2007年

〈傷が広がった幹〉長野県、2007年

な気がします。動物たちのそんな話を聞くと、クマのほうがよほど聡明なように感じてしまいます。

自分たちの代さえよければいい、と未来につけを回しているとしたら、生き物として大きな忘れ物をしているのだと思いますね。樹木のような数百年単位の長い時間軸で自然を見ることを決して忘れてはいけない。

〈樹洞に入って行くツキノワグマ〉長野県、2010年

テニスコート脇の動物たち

【てにすこーとわきのどうぶつたち】

こういうボールは、テニスコートの外に出てしまって回収されずに放置されたものをタヌキやキツネがおもちゃにして遊んでいるのですよ。

糞を見るとこのあたりはほかにも色々な動物が来ていることが分かる。例えば、このヒノキの根元にあいた穴にも家主がいます。穴の入口のところをあまり不自然にならない程度に小枝で塞いでおいて、それが翌日のけられていれば、動物が利用しているという証拠。

こういうちょっとしたことが大事で、昔の人も罠を仕掛ける際には同じようなことをやっていたんじゃないかな。このテニスコートの脇には側溝があって、土管に続いているのですが、その入口を同じように何本もの小枝で塞いでおいたら翌日に「邪魔だ」という感じでのけられていました。それで僕はここにも誰かが棲んでいると思い、入口を狙って無人カメラを設置したら案の定タヌキが写りました。コンクリートの土管をマンションのようにして使っていたので

――駒ヶ根高原のとあるテニスコート脇の林には、柵を越え出たテニスボールがたくさん転がっている。ありふれた避暑地の風景だが、よくよく見ると派手に割れて中身が見えているものがあったり、コートから転がってきたとは思えないほど遠くに落ちているものがあったりする。宮崎さんによれば、これも野生動物の仕業のようだ。

タヌキの土管マンション　長野県、2012年

すね。

あとはこっちの倒木にもツキノワグマが食べた痕跡があります。この木は以前は全然違う方向を向いていたし、もっと大きかったのですが、今は木の形も位置もかなり変わっています。ここは人が歩かない場所だから、これだけの大きさのものを動かしたり、割ったりできるのは、クマしかいない。湿気の多い倒木にわいた虫をほじって食べているのですよ。かじられて立ち枯れている木や、皮が剥かれている木も多くがクマの仕業です。ここにカメラを置いたらでっかいクマが何度か写りましたから、餌場のひとつになっているのだと思います。

ここのテニスコートのお客さんはまったく知らないのでしょう。動物たちは行楽地のこんな近くを日常的に餌場や遊び場にしているのですよ。

こうした事実は、普段から動物たちの痕跡に注意を払っていないと見えてこない。多くの人は「まさかこんなところにいないだろう」と決めつけてしまっているのでしょうが、自然というものはそんなもので、その意識の外側で動物たちは活動しています。

第2章

生と死のエコロジー

自然界のサプリメント

——天竜川の支流にあたる太田切川と中央自動車道の高架橋が交差する場所がある。このあたりは宮崎さんと愛犬ホタルの散歩コースになっていたそうだ。宮崎さんに促されて地面をよく見ると、砂利と砂とが入り交じった河川敷の地面に無数の蹄の跡がついている。一面蹄の跡だらけで、ゆうに数百はありそうだ。

――これは何の足跡ですか？

ニホンジカですよ。昨日は雨が降ったから足跡がしっかり残ってるね。

――地面のこの白いものは何でしょう？

実はこれは、塩の結晶なのですよ。

――川なのに塩ですか……。

そう。ホタルがこのあたりを気にしていたのと、シカの足跡がたくさんあるのが気になったので、無人カメラを仕掛けてみました。ここは一級河川敷だからもちろん国土交通省からちゃんと許可をもらってね。そうしたら、毎晩のように高速道路の下にたくさんのシカやサルがやって来ているのが分かった。何をしに来てるのかと思って撮れた写真をよく見ると一生懸命地面を舐めていたからこの結晶化した塩を目当てに近くの山から下りてきているみたいなのです。

――海でもないこの場所になぜ塩の結晶があるのでしょうか？

人間が撒いたからですよ。この上の高速道路には大量の凍結防止剤が撒かれていて、それが水に溶けて高架伝いにここに落ちてきている。冬でも凍らない道路は、人にとって便利なものですが、凍結防止剤の主成分というのは、塩化ナトリウムや塩化カルシウム。つまり、人工の塩です。この人工の塩は、全国津々浦々の道路に毎年撒かれるので、それをこのようにたくさんの野生動物たちが摂取している可能性があります。この場所ではだいたい60～80頭くらいのシカが来ていて、塩場をめぐってケンカしているシカも写っていました。本来は塩分に乏しいようなエリアにも、人間が次々と塩を配達してあげているという構図になります。

——山中で塩は貴重ですが、ここに来れば腐るほどあるのですね。

オオカミにあとをつけられていても、家に着いて「ご苦労さま」と塩を撒くとおとなしく帰っていくという伝承がありますね。ほかにも「オオカミオトシ」や「イヌオトシ」と呼ばれる、オオカミが食べ残した獲物の一部をもらう代わりに塩を置いておくとか、塩を買いに行くとオオカミにあとをつけられるとか、オオカミが小便を舐める、というような伝承が各地にたくさんあります。

「送りオオカミ」の話ですね。人間を守って家まで送り届けてくれるという話と、転んだり隙を作ると襲われるというだいたい2パターンの話に分かれるけれど、今では女性を送りつ

〈ニホンジカ〉長野県、2012年

〈ニホンジカ〉長野県、2012年

いでに狙う、下心を持った油断のならない男の意味で使われていますね。

——そういう話があるのも、人々はオオカミが塩を欲していると解釈していたからだと思います。人間が余分な栄養として出した尿や汗に含まれるミネラルなどを目的にしている動物がたくさんいるのでしょう。

これは僕の想像ですが、玄関先の盛り塩なんかも魔除けやお清めということだけでなく、それ以上動物を中に入れさせないという意味もあったりするんじゃないかな。

以前、南アルプスでシカやサルが夜な夜な入れ替わり立ち替わりやって来る場所を見つけて無人カメラを仕掛けてみたら、彼らはそこの泥を舐めていることが分かりました。南アルプスは、フィリピン海プレートの衝突によって隆起した場所だから、地底のミネラル分があのあたりに出てきたのではないでしょうか。大昔の動物たちの死骸が堆積した場所が崩落か何かで露出したのでしょうが、動物たちが必要としているミネラル分をたくさん含んでいるのか、動物たちの行列ができていた。

——昔の生物たちの恩恵を今の動物たちが受けているわけですね。

こうしたことを踏まえると、凍結防止剤を道に撒くことは、車社会を築いた人間がドラッグストアをそこら中に作って、野生動物たちの健康管理をしてあげているようなものなのです。貴重なミネラルである塩を欲しているシカたちが、人間のおかげで元気になって、どんどん増えているのだと思います。

――まさに「敵に塩を送る」状態ですね。人間社会を映し出す鏡のような写真だと思います。海のない場所では、さすがの武田信玄も塩を絶たれたら上杉謙信に助けてもらわなければいけなかったけれど、最近の動物たちは、山中でも労せずして塩を得ているのですね。凍結防止剤の影響に最初に気づいたきっかけは何だったのでしょうか?

最初に気づいたのは、高速道路の脇でニホンザルが何かを舐めている場面に出くわしたとき。サルは人間にも近い動物だから、塩分などのミネラル分は絶対に必要だと前から思ってはいましたが、ある日、道路脇のコンクリートブロックのところでサルが一心不乱に何かを舐めている現場を見て、あとで確認しに行ったら、白い灰汁が出ているのを舐めていたことが分かった。それで以降もよくよく注意してパトロールをしていると、山岳道路の橋の上で融けた雪水に口をつけて舐めて

上〈塩化カルシウム〉宮崎県、2002年
下〈塩化カルシウムの散布装置〉長野県、2010年

〈擁壁を舐めるニホンザル〉長野県、2010年

〈道路を舐めるニホンザル〉長野県、2016年

いる現場を目撃したので、僕もその水に指をつけて舐めてみたら、やはり塩分が相当にあって、これで確信がいったわけ。それ以来、凍結防止剤と動物の関係について考え始めたのです。

――人間も不足しがちな栄養分をサプリメントで摂ったりしますから、メインの食事以外で補うという意味では動物たちも同じなのでしょう。ところで、一体どれくらいの量の凍結防止剤が撒かれているのですか？

高速道路をはじめ、国道、県道、市町村道など、とにかく寒冷地で車の走るところならば、冬期間はどこにでも大なり小なり散布されています。長野県だけを例にとれば、県が管理する道路に散布された塩化カルシウムと塩化ナトリウムの20年間にわたる合算使用量は、１９９５年は１万２９９０トンだったものが、２０１５年度は１万６３０６トン。年によって降雪量が違うから、２０１４年には2万７５２９トン。20年間の平均値は2万９１トンなので、20年間をトータルすれば40万トンにもなる。しかも、塩化カルシウムと塩化ナトリウムの割合が10年ほど前から逆転していた。

最近「シカが増えて困った」なんて声をよく聞きますが、スパイクタイヤがアスファルトの粉塵の問題で使用禁止になった１９９１年以降、

〈道路に撒かれた塩化カルシウム〉 長野県、2008年

行政は凍結防止剤という名の塩化カルシウムを膨大に使用し続けてきた。つまり全国的なシカの激増と塩化カルシウムの散布は、ぴたりと一致しているというのが僕の説なのです。

——確かに90年ごろからシカの捕獲頭数が急激に上がっているようです。たいていの植物にも微量な塩化ナトリウムが含まれているようですが、それだけ大量に撒かれるとなると大きな影響がありそうですね。

観察から分かったことですが、シカは塩化ナトリウムのほうを圧倒的に好みます。土にしみ込んで、雨が降ると再び地表に浮き出てきて、シカは夜な夜なそれを舐めている。冬にカメラを仕掛けたところ、日没と同時に来るものから、深夜、明け方まで、頻繁にシカが来ている様子が写りました。ホタルの散歩で昼間はよくこのあたりを通ってもシカを見かけたことはほとんどないので、周辺住民は、誰も気づいてないはずです。

——一見何の変哲もない風景ですが、ここには人間と動物たちの交渉のドラマがあるわけですね。われわれは、人工的に撒いたものがどんな事態に繋がり、自然環境を変えているかをほとんど自覚していないのかもしれない。人間のこういった営みも、動物たちにとっては環境を構成する一要素になっているのですね。シカが喜ぶような環境を人間が作っているということでしょうか。

シカが増えれば、それを食べるクマが増えるのは必然ですから。

——シカが死体となれば何十キログラムもある貴重な蛋白質が山中のあちこちに落ちていることになりますからね。シカを主な食料にしていたオオカミも今はいないし、猟師の数も減っていますから、クマの独壇場になっているのかもしれない。頂点捕食者のクマがいなかったらウィリアム・ソウルゼンバーグの『捕食者なき世界』（野中香方子訳／文藝春秋／2010年）に書かれているような、自然の荒廃に繋がることもあるわけで、決して被食者の楽園になるということではないのでしょう。

そういえば以前、知り合いが車でシカとぶつかって大破しました。道路の「シカに注意」の標識も増えましたね。

オスジカの場合、もしツノがフロントガラスを突き破ってきたら相当危ない。道路の「動物に注意」の標識を見ていると地域ごとに描き方に差があるし、どんな動物が出るのかが分かって面白いのですが、よそ見運転には注意しないと。

——獣害と呼ばれるものの多くは、人間と動物の互いの活動によってもたらされている部分もあるでしょうね。「ウロボロス」という、自分の尾を噛んで輪になったヘビ（もしくは竜）の図案が

〈動物注意の標識〉山梨県、2013年

ありますが、ある種の獣害は、このヘビみたいなものかもしれません。

人間が自分で自分の首を絞めているような感がある。こうした生態系の中のサプリメントのことが気になって、以前ほかにも調べてみたことがあります。例えば、昔多くの鉱夫たちが寝泊まりしていた岡山県の廃墟では、床板だった部分が執拗にかじられていました。不思議に思って、無人カメラを設置してみたらシカがよく来てそこら中をかじっていた。ここにしみ込んだ鉱夫たちの汗を目当てに来ていたんだろうと思います。新建材を使ったものとは違って、昔の日本家屋というのは、呼吸をしているから、人間の澱が布団を通して畳にしみ込み、そのあと床下に落ちていくのですよ。

白土三平の漫画『カムイ外伝』には、忍者が床下から火薬の原料となる硝石（硝酸カリウム）を採る場面が出てきますが、昔はそのように古い家屋の床下の表土に、微生物の作用で蓄積した硝酸カリウムを抽出して硝石を得ていたのですよ。火事の際に火が日本家屋の床下に回ると一挙に燃え広がってしまったというのは、こういう理由からなのですよね。

あと日本家屋の土壁には、塩が仕上げに使われていたりするから、飢饉のときなんかは食べようと思えば食べられなくもない。そのせいで廃墟はシカにかじられていることがけっこうあるのですよ。便所跡にもシカやキツネ、テンやネコが入れ替わり立ち替わり来ていて、もう便器の痕跡さえなくて土だけになっているのにそこを一生懸命舐めています。

——本来は人間も自然のサイクルを構成する一員で、普段気に留めることなく下水に流し

〈ニホンジカ〉栃木県、1995年

〈ニホンジカ〉岡山県、2013年

てしまっている糞尿もほかの生物たちの栄養源になるものだったわけですよね。

山の中で野糞をするとすぐに昆虫がやってきます。野糞とか立ち小便ってのは気持ちがよくて大好きです。都会だとできないですが。

――外国人から評判が悪くて明治政府が禁止しましたからね。都会と糞尿っていうのは、切っても切れない関係で、定住社会が発達してきて都市ができると、大人数が排泄する大量の糞尿をどう管理し処理するかというのが課題となってきます。人間はローマ時代から下水道などの浄化システムを発達させてきましたが、中世や近世のヨーロッパでは、糞尿を農業に利用しなかったこともあって適切に処理されず、19世紀のパリとロンドンではコレラで数万人規模の犠牲者が出ました。

厠ってのは川を建物内に引き入れるということで、水洗トイレの先駆けですよね。

――水を使って居住スペースから遠くに流す必要があるわけですね。人間が排泄物をし尿処理施設で処理してリサイクルしないとすれば、植物の肥料や動物たちの栄養源になる可能性をあらかじめ絶ってしまっているとも言える。部分的に利用もしているみたいですが。ある生物にとって毒であったり不要だったりするものが、ほかの生物にとっては有益だったりします。だから、人間が不快だと感じる匂いを快と感じる生物もいるのでしょう。

〈テン〉岡山県、2013年

〈ニホンジカ〉岡山県、2013年

僕は自分の大便で実験済みなのですが、土に10センチくらいの穴を掘ってそこで用を足して埋めておくとバクテリアが活発な春から秋の時期であれば、24時間ほどで匂いも跡形もなく分解されちゃいます。冬であれば、だいたい3週間くらい。畳2畳分くらいのスペースに順番に穴を掘って用を足していけば、最初の穴に戻ってくるあいだには全て分解される。健康な土というのは、それくらいの分解力がある。

――消化というのは、分解の別名だから、大便も糞の役にも立たないわけではないのですね。日本でも中国でも農業に利用してきた歴史がありますし、江戸時代には糞尿を盗んだら刑罰の対象にもなっていたぐらいですから、大切な有機肥料だったわけです。

江戸時代の長屋では、家主が共同便所の処理権を持っていたんだよね。人間の排泄物は貴重なのですよ。例えば、雪のところで小便をすると、黄色く跡がつくけれど、夜中のうちにウサギが来て、その場所がほじられていることがある。草食動物というのは、腸内でバクテリアを培養していて、そのバクテリアを消化して蛋白源にします。バクテリアに植物を分解してもらうから、塩分が必要になる。だから小便もある意味ではごちそうになるのですよ。

――そういえば、ウサギは自分の糞を食べて不足する栄養を補完しているのですよね。多様な食事を、しかも必要以上に摂る人間の大便には、未消化の栄養素がたくさん残っているはずですから、もしかしたら人間は排泄物だけを食べて生きていける可能性もあるのではないかと……？

肉食動物は、獲物の血や内臓から塩分を摂れるのでそれほど切実ではないと思いますが、草食動物は、主食の植物以外から摂らないといけません。以前、動物園で檻の中に置かれた固形物を舐めている草食動物を見たので職員の方に聞いてみたところ、あれは塩にミネラルやビタミンを混ぜた鉱塩というものだと教えてくれました。

ところで、この近くに大鹿村という名前の村がありますね。

大鹿村には、鹿塩（かしお）温泉というのがあって、海水と同じくらいの塩分濃度のお湯が出ています。名前の通り、シカが温泉を舐めていたことからついたようです。アオバトという海水を飲む鳥がいますが、海から遠く離れたところに生息する野生動物たちは、家畜の糞尿から摂取するものも多い。昔は塩分を摂るために人間の生活域のギリギリまで下りて来る個体も少なくなかったはずです。それほど動物たちが必要としている塩を全国の山中で大量にバラまけば、自然環境が変わるのも当然という気もします。われわれは、自分たちの生活だけを自然から切り離してしまいがちですが、生態系に大きな影響を与える量の化学物質を撒き続けているわけです。そういうことを考えずに、獣害で困っていると嘆いても仕方がない。時々農家の相談にものっているけれど、ちっとも儲からない写真家を廃業して獣害コンサルタントでもやったほうがいいのかも、と思うことがよくあります。写真を撮るのと同じ要領で罠を仕掛ければ、それほど難しいことではないですから。

――宮崎さんの知り合いに一風変わった盆栽を育てている人がいるらしい。その名も「糞盆栽」。ただし、「駄目な盆栽」という意味ではなく、文字通りの「糞」のようだ。盆栽のある庭先に入らせてもらって見せてもらうとツキノワグマやキツネ、テン、サルなどと動物の名前が書かれた札が挿してある鉢がたくさん並んでいた。

糞盆栽【くそぼんさい】

僕は山に入ると、ときどき動物たちの糞をたくさん拾ってきます。糞を見ればだいたいその動物が何かは分かるので、糞は動物たちの行動域を知る重要な手掛かりになるのです。ただ、彼らがどんなものを食べているかを特定するのはなかなか難しい。そこで思いついたのがこの「糞盆栽」です。

夏から秋にかけては、サルやクマ、キツネやテンの糞に、未消化の植物の種子が混ざって体外に排出されることが多いのです。未消化と言っても、消化液で種の外皮が剥がされて発芽しやすくなっている状態です。植物は基本的には根を張った場所から動けないので、甘くて香りのいい派手な色の果実を餌にして動物たちを呼び寄せ、遠くに種を運ばせることで自分たちの子孫繁栄を図るわけです。果実は食べられてもいいように、逆に葉や茎は消化しにくくしたりして防御しているのですよ。

僕は糞を拾ってきたら、まず日付と場所を記録して、知り合いに渡します。彼は植物の習性に詳しいので、糞の中の種が見事芽吹いたら、適当な鉢を選んで育ててくれます。

ただ、芽吹いても最初はみんな似ていて見分けがつかない。数ヶ月経つと葉っぱや枝などか

キツネの糞盆栽　長野県、2014年

ら植物の特徴がようやく見えてきます。そうするとそれが何という植物で自然の中でどのようなところに自生しているということが分かり、それを食べる動物の行動域が明らかになるというわけです。植物がある程度大きくなるまで待たなければいけないので、ちょっと分析に時間がかかるのと、「糞盆栽」というイメージが美しくないのが短所ですけどね。種も小豆くらいの大きさのものからイチゴの種みたいに小さなものまで多種多様で奥深いのです。糞が肥料にもなるし、一石二鳥だよね。

糞盆栽の数々　長野県、2014年

動物の糞を盆栽にしたら面白いのではないかと閃いたのは、糞なんてみんなが毛嫌いして避けて通ってしまうものだからです。だけどその糞からは周辺環境の植物相が見えてくるし、それを食べて生きている動物との関係も浮かんでくる。盆栽という目に見える形にすれば説得力が出てくるし、誰もやってないから絶対に面白いと思いました。

そうそう、果実の表面に棘があるオナモミやセンダンなどの、いわゆる「ひっつき虫」も動物の毛や人間の衣服にくっついて種を運ばせています。車や鉄道で広範囲を移動する人間も、植物にとってはかっこうの媒介者、運搬者なのです。花の蜜で呼び寄せられる昆虫も同じ。だから、われわれ動物は植物の戦略に巧妙に利用されていると言えるかもしれないですね。つまり、動物も昆虫も植物もお互いに利用し合いながら生存しているということです。こんなふうに自然はうまくシステム化されているのですよ。

スカベンジャーたち

——宮崎さんとある寺の庭を散策していると、池に浮いたフナの死体にアメンボがたかっていた。アメンボたちは、どうやらこの死体を食べに集まってきたようだ。生気を失った目の魚とそのまわりをスイスイと活発に動きまわるアメンボたちのコントラストは、いささか気味が悪かったが、自然界には、このようなネガティヴな感情を抱かせる生物たちがいる。例えば、ゴキブリやカラス、ネズミなど生ゴミや死体に群がる生物たちだ。宮崎さんは、こうした生物たちを「自然界のスカベンジャー」と呼んでここ数年調査を続けているという。

こういう水辺には、常にスカベンジャー、つまり掃除屋がいます。

僕は小さいころに友だちとヘビを殺したり、よく悪さして遊んだ覚えがあるのですが、ある日、ヘビの死体を小川に放り込んでおいて、しばらくしてどうなったかなと見に行ったらサワガニがわんさか集まってて、ヘビの死体を食べ始めていました。もしかしたら少年時代のそんな経験が水辺のスカベンジャーについて考えるヒントになっているかもしれないですね。スカベンジャーと言うと聞こえが悪いけれど、要は環境のクリーナー。死体を放っておいたらこんな小さな池は水質汚濁が進んでいくからそれを食べて処理してくれる生物たちがいてくれないと困るわけ。

――ほかに水辺のスカベンジャーと言えば、どんなものがいますか？

エビ、カニ、ヤドカリ、フナムシ、カモメもそうですね。以前、奄美大島の浜に打ち上げられていた魚を撮影していたら、ヤドカリが集まってきてどんどん身を食べていったのですが、夜間だったのと旅の疲れでついウツラウツラと居眠りしてしまいました。そうしたら、その隙にノラネコがやって来て横から

上〈フナムシ〉愛知県、2015年
下〈スナガニ〉愛知県、2015年

〈魚を食べるヤドカリ〉鹿児島県、1999年

〈ヤドカリに食べられたあとの魚〉鹿児島県、1999年

サッとかすめ取っていったので、残念ながら途中までしか撮影できなかった。自然界では、死体は取り合うものなのだなと実感した場面でした。僕はその取り（撮り）合いの競争に負けたわけですが。

――小説家の目取真俊の短編に「魂込め（まぶいぐみ）」という作品があります。魂（まぶい）を落としてしまい、意識不明のまま口の中に大ヤドカリが住みついてしまった男の話なのですが、魂がなくなるとその空っぽの身体がヤドカリを呼び寄せてしまうというのは、事実としてあるわけですね。

ダイビングが得意な友人が、若くてお金がないときに沖縄で遺体捜索のアルバイトに登録していた話をしてくれました。彼の仕事の内容は、崖から車が落ちたり、誰かが身投げしたといった連絡が関係機関から来ると、潜水服で海に潜っていって対象物を探すというもの。あるとき海に落ちて沈んでしまったという人の遺体を回収しようとしたら、たった30分前に連絡が来たばかりなのに、もう遺体の下にはカニが来ていたと言っていました。つまり、エビやカニなどの甲殻類や貝類、カモメやカラスなどの鳥類の一部は、海辺での死体処理班なのですよ。カニミソなんて喜んで食べる人がいるけれど、あれはカニの内臓に残った未消化物だから、個人的にはあんまり食べたいものではないかな。

ほかにスカベンジャーとして有名なのは、「サバンナの掃除人」と呼ばれているハイエナがいます。彼らは弱ってもうこれまでという動物を狩るハンターですが、死肉も食べる。そして、日本でハイエナと似た役割を果たしているのがツキノワグマで、彼らはハンターであると同時に死肉も積極的に食べます。

——倒産しかけの会社の資産を安く買って高く売ったり投資して莫大な利益を得る行為を「ハイエナ」とか「ハゲタカ」と言いますが、スカベンジャー的な動物には、共通して悪いイメージが持たれていますね。

「ハゲタカファンド」とかね。正確にはハゲワシです。自然界には欠かせない役割を持っている動物たちですが、死肉に群がるために印象が悪いのかもしれない。ハゲワシの頭に毛がないのは、雑菌対策という意味で理にかなっていますよね。乾燥しやすいから、菌の繁殖を防げる。想像ですが、病原菌がついて頭の毛が抜けて……というのを進化の歴史の中で繰り返しているうちに、頭に毛がない個体が選別されていったのではないかな。

——スーダンで餓死寸前の少女を狙うハゲワシの写真で、ケビン・カーターという写真家が1994年にピュリッツァー賞を受賞しました。彼は人命か報道かという議論の中で、非難を受け、ついには自殺してしまいました。あの写真のハゲワシもそうですが、スカベンジャー的な動物は、死の気配というか弱っている動物を感知するのに長けているのでしょう。ハゲワシは、死体に発生する菌などに対する耐性を持っていて、強力な消化器系を発達させていると言われています。

人間は火を獲得したから、ハイエナやハゲワシのように腐敗が進んだ肉を食べられるほど消化器系を発達させてこなかったのかもしれません。ただ、「オオカミオトシ」や「イヌオトシ」という言葉があるように、肉食動物が食べ残した肉を時折失敬していたようなので、スカベンジャー的な側面もあったはずです。

兎にも角にもあらゆる生物が死体を狙っているわけですから、宮崎さんも見つけるのもひと苦労ではないですか？　ロードキル（轢死）の動物ならたまに見ますが。

今は動物の死体は行政があっという間に回収してしまうので、撮影のチャンスはそれほど多くなくなってしまいました。ただ、僕は伊那谷周辺に情報網を持っていて動物の死体があると、すぐに知らせてくれる知り合いがたくさんいます。以前そういう人から連絡が来て、クマがシカの死体を食べていく過程を撮りました。

クマはまず、やわらかい肛門のあたりからかぶりついて内臓を引きずり出して食べ、満腹になったら立ち去ってまた腹がすいたら戻って来て食べるという感じで、死体があっという間になくなってしまった。途中でテンやタヌキもやって来ます。クマの近くで「まだかな」と待っていて、隙を見て果敢にもつまみ食いに挑んでいる様子は面白かったですね。季節によりますが、死体というのは、しばらく経つとウジだらけになる。そこにクマがやって来て、ウジの踊り食いをしているのを撮ったことが

〈ニホンジカの死体を食べるツキノワグマ〉長野県、2013年

〈ニホンジカの死体〉長野県、2012年

〈ニホンジカの死体を食べるツキノワグマ〉長野県、2012年

〈ニホンジカの死体を食べるツキノワグマ〉長野県、2012年

〈ニホンジカの死体を食べるツキノワグマ〉長野県、2012年

あります。クマもなかなかやるなと思ったのは、食後ブラブラどこかに出かけて、また2時間ぐらいで戻ってくると、急成長したウジが復活していて、それをひと晩で3回も繰り返していたのを見たとき。非常に効率よく安全で新鮮なウジにありついていたわけです。

——クマもある程度時間の感覚を持っているというか、近い未来のことを予測してちゃんと行動できることになりますね。彼らもハゲワシのように消化器官の機能が高いのでしょうか。

クマは内臓や腐りかけの肉も生で食べられるし、病原菌に対する強力な耐性があるのでしょうね。クマの胆嚢は「熊胆＝ゆうたん」と呼ばれ、優れた鎮痙効果があり、昔から生薬の原料として高い値段で取引されてきた歴史があって猟師たちの大きな収入源でもありました。胆嚢から胆汁を出して消化するわけですが、冬眠前に食いだめして胆汁を使い果たした秋熊は、胆嚢が小さくて売り物になりにくいのです。対して、冬眠から目覚めて穴から出たての春熊は、何も食べておらず、胆汁が使われていないから、胆嚢が肥大化していて昔は相当に高価でした。

——この前、宮崎さんが持っていたものをちょっと舐めさせてもらいましたが、かなり苦かったです。

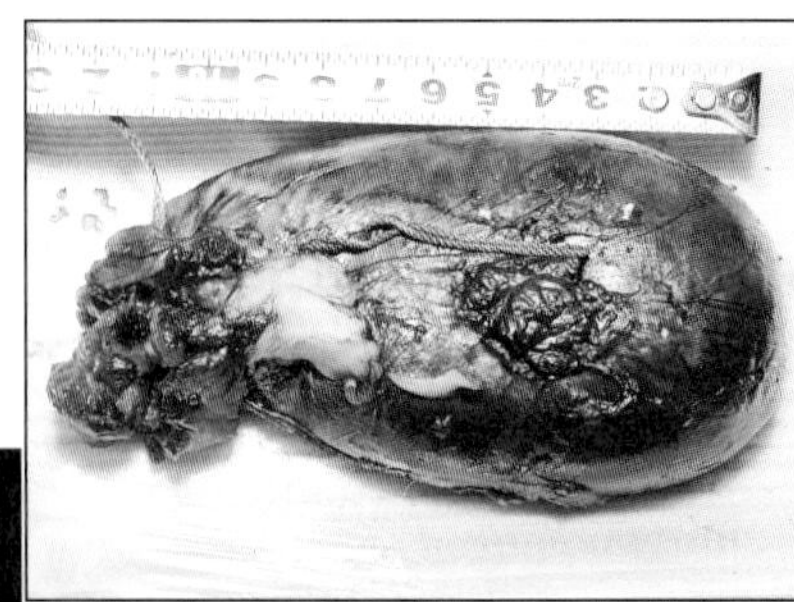

〈ツキノワグマの胆嚢〉長野県、2006年

「良薬口に苦し」って言うでしょ。

最近入山者らがクマに襲われて死亡する被害が相次いで、駆除したクマの体内から人体の一部が発見されたことがニュースになりましたが、僕は縄文時代からずっと人間はクマに食われてきたと思っています。

吉村昭が実話をもとにして書いた小説『羆嵐』（新潮社／1977年）の中にもそうした話が出てきます。1915年にヒグマが北海道の開拓集落を襲って7人を殺して食べるという三毛別羆事件がテーマになっているのですが、このヒグマは、墓を暴いて死体を食べていて、人間の味をしめていたと言われている。

人間も死んでしまえば食べられる側にまわるというのは、昔からごく普通のことだったのではないでしょうか。今でも徘徊老人とか定年後の登山客が山で行方不明になって、そのまま発見されずじまいという話がときどきありますから。

――昔ならそういう事件は、神隠しとして了解されていたのでしょう。写真家の星野道夫さんもロシアでの取材中にヒグマに食べられて亡くなっていますね。クマの習性を熟知していたプロの写真家だったはずですが。

あのときはテレビ局のスタッフと一緒だったので、僕はもしかしたらいつもと勝手が違ったのかもしれない、と思っています。自然というのは、想定を超えてくるから僕はそうしたリスクを最小限にするために無人カメラを使っている部分もあります。星野さんを襲ったヒグマというのは、積極的に狩りをするタイプですが、ツキノワグマは、どちらかと言えばハンターよりスカベンジャー的な側面のほうが強い。

——今の人間は食物連鎖の最上位に位置する捕食者になりましたが、かつては被捕食者で狩られる側でもあったのですね。そうすると「姥捨て」伝説なんていうのは、山の神への捧げものという側面があったのでしょうか？　江戸時代でも間引きや捨て子が普通にあったぐらいですから。

長野県の千曲市と筑北村にまたがる姨捨周辺には、深沢七郎の短編「楢山節考」のモデルにもなった姥捨伝説があって、地名も残っています。口減らしのために高齢の親を山に捨てることになった息子とその母親についての民話がベースになっている伝説なのですが、昔の農村で生産性の上がらない者の食い扶持を確保するのは大変だったから、人口調整のためにそういう姥捨てがシステム化されていた可能性もなくはない。そしてもし姥捨てが行われていたとしたら、捨てられた者の多くは、間違いなく山でクマやオオカミ、ヤマイヌや昆虫たちの餌食になっていたはず。

〈遠景の雪山が姨捨山（正式名は冠着山）〉長野県、2017年

——平安時代末期から鎌倉時代にかけて書かれた九条兼実の日記『玉葉』には、イヌが死体の一部を屋敷にくわえてきたせいで穢れたなどという話がけっこう出てきます。中世では一般庶民の死体は、河原や荒れ地など自然と都市の境界に置き去りにされていて、イヌは常に人間のまわりを徘徊して残飯や死体を食べるスカベンジャーだった。

先ほどの「姥捨て」の一種なのですが、『遠野物語』（1910年）の中にも、「昔は六十を超えたる老人はすべて此蓮臺野へ追ひ遣るの習ありき。老人は徒に死んで了ふこともならぬ故に、日中は里へ下り農作して口を糊したり」という記述があります。これは老人たちが集落の周縁に遺棄されながら緩慢に死に向かっていくことを意味していて、「蓮臺野（デンデラ野）」が他界へのマージナル・ゾーンになっている。

人間の血の匂いや加齢臭、生理の経血の匂い、汗や頭髪の匂いなどに多分クマは敏感に反応しているから、昔から山では動物に襲われて命を落とす人も多かったはずです。山で襲われるのは年寄りが圧倒的に多いのも、そのあたりに原因があるんじゃないかな。あれは若い人が少ない過疎地という理由だけでなくて、加齢臭に反応しているというのが僕の説なのですが、この話は、あんまりいい顔はされない。加齢臭は人間特有のものではなくて、子育てを終えた個体、つまり自然界では役割を終えた動物から「弱いぞ」とか「さらっていって下さい」というサインが加齢臭のかたちで出ている。こんなことを言うとまた叱られるかもしれませんが、そういう老いた弱い者から順番に食べられていくのは、自然の摂理で、この匂いが出てくるようになれば、その動物はすぐにほかの動物たちの餌になる。死臭や腐敗臭のことを考えれば分かりやすいかもしれないですね。あれは、「死にました」ということをまわりに知らせるサインだから、それをキャッチした生物があちこちから集まってくる。夏なら死んで5分もしないうちにハエとか何かしらが嗅ぎつけてやって来るよ。

——人間や一部の家畜以外は、繁殖可能な時期を過ぎると老いを待たずに死を迎えるというのが一般的ですから、孫や曾孫の代になってもなお生き続ける人間というのは、例外的な動物なのかもしれません。サケは川を上ってきて産卵したらそのまま力尽きて死んでしまいますが、自然界では次の世代に命を繋いだらお役御免となり、場所を譲ってほかの動物の餌になるというのが基本になっています。交尾後にオスがメスに食べられたり、死んでしまう生物もいますし。

ユズリハって言いますからね。タヌキがそういう弱った魚を狙って水辺をパトロールしている様子はよく無人カメラに写ります。

匂いと死の話で言えば、戦中に中国大陸で戦傷者が死ぬ運命かどうかはキンバエが集まるのを見れば分かるという話をどこかで昔読んだことがあるのですが、戦地では人間もそうやって昆虫たちの餌になっていたのでしょう。ハエやアリに代表されるように昆虫たちは、スカベンジャーという重要な役割を果たしています。

以前、傷を負ってヨロヨロしているシカに卵を産みつけているハエを見たことがあって、見つからないようにあとをつけてみたら、案の定じきに死体になりました。それを見てハエにはその個体が死ぬかどうかを判断できるんじゃないか、と思ったわけ。きっと死臭を嗅ぎ分けるような能力が備わっているんだと。

――ハエやカは人間の汗に含まれる二酸化炭素などを遠くから感知して寄ってくるとされていて、高度な嗅覚を持っているようです。植物や蜜を食べる昆虫は花粉の運び屋として地球上になくてはならない存在ですが、死肉や糞の匂いを嗅ぎつけてきて食べるような種もスカベンジャー、掃除屋として大活躍しているのですね。

例えば、スカラベ(フンコロガシ)は、地下の巣穴に糞を運び食べたり卵を産みつけたりして分解することで地上の掃除を行いながら植物の成長を助けていることなどから、古代エジプトでは再生や復活を象徴する昆虫として神聖視されていました。スカラベによって丸い糞が動いて地中に沈んでいく様子が太陽の動きに見立てられていて、代表種であるヒジリタマオシコガネの正式な学名は、「スカラベ・サクレ(Scarabaeus sacer)」といい、フランス語では「聖なる甲虫」を意味するようです。こうした糞虫は、人間以外にとってもなくてはならない存在でしょうし、糞を生態系のあるべき場所に移動させるという意味では、エコロジーを体現しています。

日本では糞は転がさないけれどセンチコガネがこれに当たりますね。センチってのは、雪隠(せっちん)(便所)のことで、要するに

〈センチコガネ〉長野県、2013年

〈クロボシヒラタシデムシ〉長野県、2016年

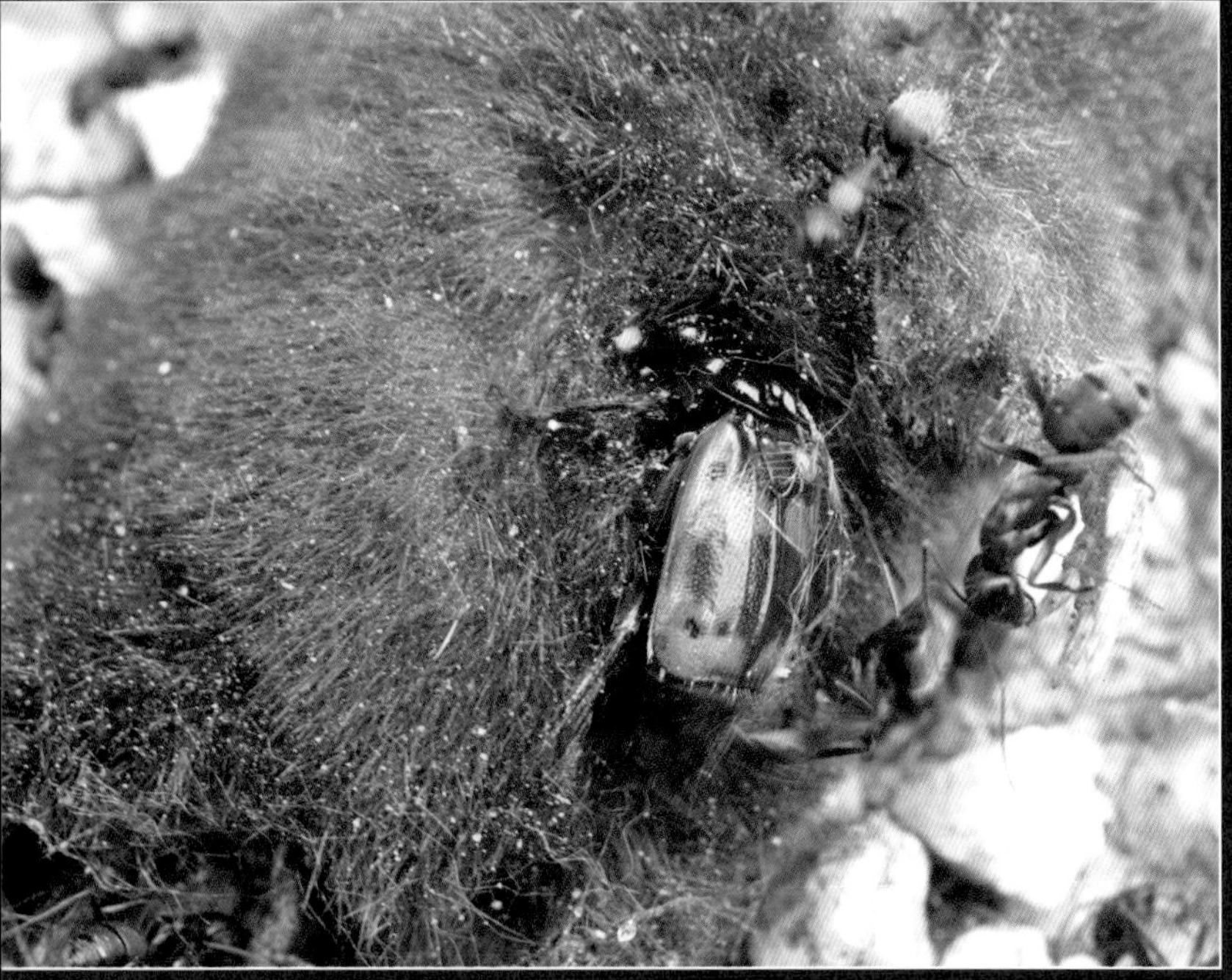
〈ダニを背中に乗せたヨツボシモンシデムシとアリ〉長野県、2016年

便（人糞）を食べるコガネムシのことなのですが、いつも風下のほうから糞の匂いを嗅ぎつけてやって来ます。自然界ではフェロモンを含め、行動の動機は匂いによる刺激になっていることが多いんだよね。

――英語の「アンテナ（antenna）」の語源はもともと「触角」からきているように、昆虫はそれを四方八方に張り巡らせて匂いなどの情報をキャッチしているようです。スカベンジャー的な昆虫がいなければ、そこら中が糞と死体だらけになってしまうでしょう。昆虫の「昆」は数が多いという意味で、地球上で一番種が多く100万種以上とも言われているほどなのですが、ほかの生物が利用し残したものや、排泄物を含めた多様な食性が繁栄の理由のひとつだと思います。こうした昆虫は時に「益虫」であり、人間と競合する場合は「害虫」とされます。

人間の物差しでは、そういうふうに分けられるよね。ウジが死体の分解に果たす役割は大きいのですが、さっきも言ったようにそのウジを食べにくるクマのような動物もいて、土に還るまでに色々な生物が関わっていく。ツキノワグマは雑食をベースに今日まで生き延びてきた動物で、スカベンジャーの最上位に当たります。僕はたまたまシカの死体で観察していますが、たとえそれが人間であったとしても、結果は変わりがないんじゃないかな。実際に人間で実験するわけにはいかないのですが。

――確かにクマは鋭い犬歯も植物をすり潰す臼歯も両方持っています。現代人は人間を食べるような大型の野生動物は、動物園や保護区、もしくは奥山に隔離されていると思いがちですから、普段人間が餌になるなんて考えもしないわけですが、実はそうではないのですね。

ところで、宮崎さんが子供のころは、まだ土葬が多かったのでしょうか?

僕が子供のころは、村のお年寄りが亡くなると、近所の家から大人たち全員が駆り出されて、お墓の穴掘りから食事の支度まで全てやっていました。昔はコロッと亡くなる人が多くて、何年間も病院で闘病生活を送るということもまれでした。19歳のときに祖母が亡くなったのですが、そのときは土葬でしたね。座り棺ということもあって、穴の深さは2メートルぐらい。祖母の棺を埋めるときに、穴の深いところから先祖の骨が何本も出てきたと聞いた覚えがあります。多分それくらい深く掘れば、動物の鼻でも嗅ぎ分けられないというのを昔の人は経験的に知っていたんじゃないかな。僕の見た土葬はそれが最後で、それからあとは火葬に変わっていきました。土葬時代は、浅く掘ってしまって死体が食べられてしまうという経験を繰り返してきたのだと思います。

――死装束の死体が夜中に歩いたと思ったら動物に背負われていたという類の伝承を読んだことがありますが、そういう話は祖先からの警告ともとれますね。

熊手という道具は文字通りクマの手が由来ですが、クマはあの大きな前足で簡単に地面を掘ってしまう。以前、猟師の友人がイノシシ用の檻のワナにクマの親子3頭が入っていると連絡してきてくれたので、30分もしないうちに見に行ってみたのですが、大きな母親しかその中にいないわけ。不思議に思ってよく見てみると、檻の下が30センチくらい掘られていて、そこから子グマだけ逃がしていた。母グマは檻から手を出して、爪と指で土をあっという間に掘ってしまっていたのですよ。彼らはあんな大きな図体だけど、そのくらい器用で賢い。そうでなくちゃ縄文時代から今まで生き残れないはずだから。

本当にクマが死体を掘り返すのかどうか、実際にシカを埋めて実験して確認してみたいところですが……。

――オオカミが墓を掘ったり人の死体や死馬を食うという伝承は日本各地にあって、人間の側も見張りやかがり火などさまざまな対策を講じてきた歴史があります。墓や土饅頭の上に鎌を立てたり吊るしたりする風習が四国にあるようですが、これも動物対策、もしくは死霊の蘇りを嫌ってのことと考えられそうです。

キツネやイヌも地面を掘りますが、タヌキには無理でしょうね。そういう動物がいるので、昔から人間は死者を葬ったあとには、必ず動物対策をしてきたはずです。西日本でシキ

〈室生寺のシキミ〉奈良県、2013年

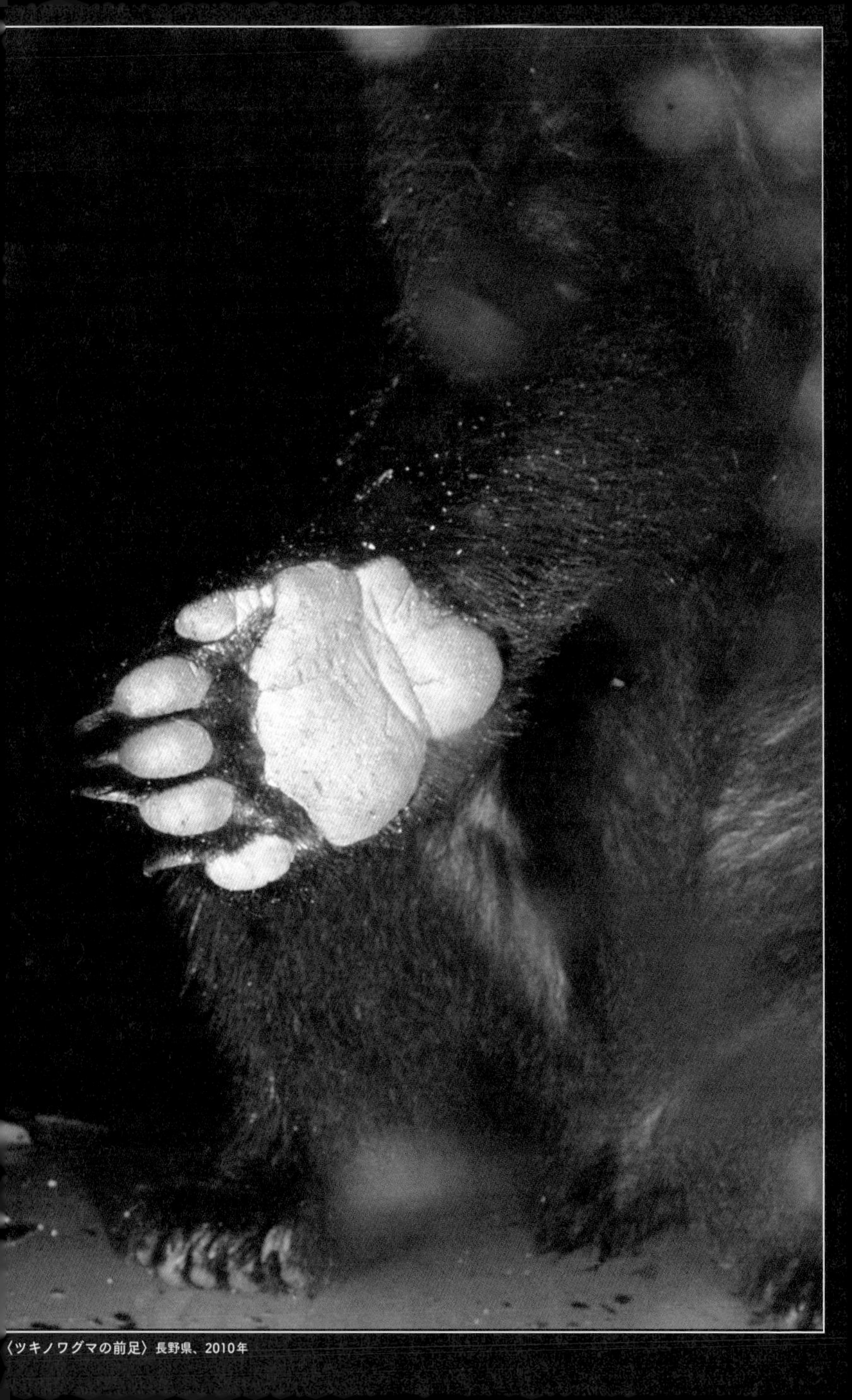

〈ツキノワグマの前足〉長野県、2010年

ミという植物を葬儀や墓前に供える習慣があるのも、そこらへんに理由があると思います。「悪しき実」が略されてシキミ。毒性が高い植物で、特に果実は劇物に指定されていて動物もその匂いを嫌います。かつては棺桶に菊ではなくシキミを入れる習慣もあったみたいですね。今でも古い墓や寺にはよくシキミの木が植えてあったりします。土葬時代に何度も墓を暴かれたりしたから、昔の人も知恵をつけて動物への備えとしてシキミを使ったんじゃなかろうかと思うのですが。

——伊豆半島の伊東のほうでは、シキミの枝を土饅頭に立てる慣習があったようです。古くからの決まりごとは、何事も理由があってなのでしょうが、今ではそれが意味するところは忘れ去られて慣習としてだけ残っていることが多いのかもしれません。お盆やお彼岸に、シキミを依代として山中から死霊が降りてくるとされていたり、「香の花」とも呼ばれていますね。

シキミは、動物よけという理由で昔から仏花になっているのではないでしょうか。だんだんと研究が進んで、シキミの葉や皮を乾燥させ粉末状にして焼香や線香という形になって今に至っていると考えているのですが。だから僕は、ツキノワグマに出会いたくない場所では、蚊取り線香が効くのではないかと思って虫除けも兼ねて対策をとってきました。

——最初に死をテーマにしようと思ったのは、なぜですか？　当時、いわゆる動物写真ではかなりの冒険だったと思いますが。

仏教絵画の九相図を見たことがきっかけでした。九相図というのは野ざらしの死体が朽ちていく過程を九段階に分けて描いたもので、人が亡くなり次第に腐って色が変わり、最終的に白骨になるまでが絵解きされています。よく小野小町がモチーフになっていて、絶世の美女でもいずれは死を迎えるという、人の世の無情や儚さが表現されているものです。これを実際に人間でやるわけにはいかないから、僕は動物にモデルになってもらって撮影しているわけです。九相図に死体が鳥獣に食い荒らされる場面が出てくるように、昔の人は死体処理にやって来るスカベンジャーの存在をちゃんと描いている。

――藤原新也がインドのガンジス川で撮った人間の死体を食べるイヌの写真に「ニンゲンは犬に食われるほど自由だ」という言葉を添えて出版した写真集『メメント・モリ――死を想え』(情報センター出版局／1983年)は、日本人に衝撃を与えましたが、そういうのもかつては日本でも当たり前の光景だったはずです。「死を想う」ことが社会の中から少なくなっていった時代ゆえの衝撃だったと思います。しかし、大抵の動物が人を食うのだとしたら「人食いグマ」なんていう呼び方はちょっとおかしくはないですか？　動物が人を食わない前提でいるから「人食いグマ」と呼ぶわけで。

肉食動物というのは、個体によって好みもあるだろうけど、ほとんど人間を食べるはず。

食う（捕食）／食われる（被捕食）という関係は、自然界では当たり前のことなのに、そういうことを忘れているから「人食いグマ」などと呼んで騒ぎになる。

そういえば、こんな話がありますよ。シカの角は室内の装飾品用に売れるから、ある猟師が角を取り出すために撃ったシカを山の中に埋めておいたらしいのです。腐って頭骨だけになるから運びやすいというのもあって。それで1週間後に同じ場所に見に行ってみると、死体は掘り起こされていて跡形もなくなっていたと。

ほかにも猟師の従兄弟から大きなシカの死体が頭上10メートルのカラマツの枝に吊るされていたという話も聞いたことがあります。従兄弟は何でそんなことになったのか、それ以上深追いしなかったみたいです。だけど僕は、そんな大きなものを持っていけるのはクマ以外にいないし、子グマが4キログラムくらいのマスを木の上に隠して手ぶらで降りてきたのを、実際に目撃したことがあったから、犯人が誰かピンときた。大人のクマは、枝の細い上のほうにまでは登れないから、弱い子グマがエサを独り占めするためにそういう工夫をしていたのでしょうね。

――それを聞くと人間の大人は、子供から食べ物を取り上げるなんてことはしませんから良識があるというか、社会が機能している。「自然状態」に投げ出されたらクマと同じことになるのかもしれませんが。

ほかにもまだ話があって、ある日、猟師の友人が2頭いるクマのうちの1頭だけ撃って倒したのですが、重たくて持ち帰れないから、現場でお腹を割いて内臓の処理だけ行ってその日は帰ってきた。それで、次の日に何人か引き連れて取りに行ってみると、脂がのった一番いいところだけが既に半分も食われてしまっていたと。11月下旬だったから、もしかしたら冬眠前の生き残ったクマが死んだクマを食ったのかもしれない、と想像したのですが、どうやらクマは、積極的に共食いをするということがあとから分かって、やはりと思いました。クマのオスは種づけするためにメスの連れている子供を襲って食べたりもするから。

――共食いですか。太平洋戦争では飢えた兵士が戦地で人肉を食べていたみたいですし、ネアンデルタール人など黎明期の人類が食人（カニバリズム）を行っていたことが最近の発掘調査で分かっているようですから、人間は例外とは言えませんが。

小動物がクマを襲うことはありませんが、たとえクマであっても死んだら小動物にも食われますから、一概に「弱肉強食」という言い方はできないと思います。狩る／狩られるということに限定しなければ、「強肉弱食」もある。まぁ、死んだらどんな大型動物も最弱なので皆捕食される側にまわるのですが。

自然の中で死んだら例外なくみんな食われるってことですよ。そして、日本のスカベンジャーの最上位がツキノワグマ。ただ、クマの食性で面白いのは、中央アルプスの南向きの斜面をテリトリーにしている個体は、シカの死体があっても覗いていくだけで全然食べない。大規模に調べたわけではないし、理由は分からないのですが、もしかしたら場所によってはそういう集団もいて、餌の好みでうまく棲み分けをしている可能性がある。コイにやたら執着したり、ミツバチの巣が近くにあっても食べずにクルミだけを食べる個体もいるのも不思議。雑食のクマたちは、人間と同じように食べ物の好みがあって、多様性があるのでしょう。山を実際に歩いてみると彼らの餌になるもので溢れているから、確実に選択してるはずなのですが、テレビや新聞では山に餌がないから人里に下りて来る、と未だに繰り返しているのがおかし過ぎて……

——アフリカのイトゥリの森に住むムブティ・ピグミーは、森の植物を使い尽くしてしまうのを避けるために近接した村ごとに食物や薬品に使う植物が微妙に違っているようです。(市川光雄『森の狩猟民—ムブティ・ピグミーの生活』/人文書院/1982年)クマにはそのような高度な文化はないと思いますが、個体差による好みでうまく棲み分けになっているのかもしれません。いずれにしても環境や経験によって食文化や嗜好が変わるのは人間も動物も同じなのでしょう。

ところで、人間とクマも昔は相互に食う/食われるという関係だったのでしょうか?

その点に関しては、非対称な関係だったんじゃないかな。例えば、八ヶ岳山麓に尖石遺跡という縄文遺跡がありますが、そこではシカやイノシシの骨は頻繁に出ても、クマのものはほんの少ししか出ていない。それは当時の人間とクマとの力関係を示しているのではないでしょうか。つまり、縄文人はイノシシやシカは狩ることができたけれど、あんなに大きくて強いクマを積極的に獲るということはできずに、偶然死んでいたクマを拾ってきて食べたか、毛皮や骨などを利用するに留まったということではないかと。

——アイヌはトリカブトを塗ったアマッポ（仕掛け弓）を使ったり、冬眠中のクマを狩る穴熊猟をやっていましたが、縄文時代ではまだ難しかったのかもしれないですね。

人間は基本的に必要以上の栄養素は体外に排出してしまうのに、脂肪だけは体に蓄積させるので、動物などから脂肪を摂ることは、生存にとって重要なミッションであり続けています。現代人は、せっかく摂ったエネルギーをダイエットで自ら消費していますが、飽食時代以前の人間は、ハンターであると同時に、動物たちと貴重な死肉を取り合う存在だったのかもしれません。霊長類なので、もともとはサルと同じように主食は果物、野菜、昆虫などでした。それが火を獲得して加熱ができるようになると、死肉も積極的に食べられるようになったのでしょう。肉食をする霊長類は、人間だけではないようですが。

肉は高蛋白で高カロリーの貴重な栄養素に違いないから、人間もほかの動物たちと同じく食う／食われるという関係だったんだろうね。道具を使うことで食物連鎖の最上位に立つようになった人間は、そうしたことを忘れてしまっているけれど、人間だって「万物の霊長」と言えど、死んでしまえばいとも簡単に食われてしまう。僕はお互いに食い合うことも「共生」の意味だと思っています。

〈ツキノワグマのおこぼれを狙うタヌキ〉長野県、2013年

――カラスと言えば、ゴミ集積所を荒らしていく厄介者というイメージがある。西洋では、その賢さから神の使いとされる一方で、全身真っ黒であることや鳴き声の不気味さから忌み嫌われてきた。日本では導きの神である八咫烏（やたがらす）が知られているが、どちらかというとやはり不吉なイメージが強い鳥だ。しかし、宮崎さんいわく、カラスは人間にとって非常に重要な役割を担っているという。

カラスの役割【からすのやくわり】

北海道の積丹半島のある港に行ったとき、ちょうど漁船が次々と帰港してきました。沖で回収した定置網を港で降ろし、漁師やその家族たちが刺し網から魚を外していたところでしたが、彼らは傷んだり小さ過ぎたりして市場価値のない魚を次々と海に投げ込んでいました。すると、それを待ち構えていたカラスやカモメが続々と集まってきた。鳥たちにとっても弱ったり死んだ魚を獲るほうがずっと楽だから。そうやって捨てた魚がどんどん食べられていくのを、皆見て見ぬふりをしていました。鳥たちが不要な魚を食べることであと片づけの手間を解消してくれているということを分かっているからでしょう。放っておいたら腐った魚で港が汚れてしまうけど、それを未然に防いでいるのがこうした動物たちだから。彼らは死体の処理をすることで自然を健全に循環させ、環境美化に一役買っているのです。

1970年代には、東京湾の「夢の島」に捨てられるゴミには生ゴミがたくさん混ざっていて、カラスやカモメ、そのほかの小鳥も含めて多数の鳥が毎日飛来していました。海に浮かんだ島だから怖いノラネコも来な

カニをくわえるカラス　北海道、2000年

いし、東京中のゴミが毎日運ばれて来ていたので、鳥たちにとっては、まさしく「夢の島」だった。今は埋め立てられて公園やスポーツ施設になっているので、かつての面影は、もうないですが。

海と海岸線までの掃除屋がカモメで、陸ではその役割をカラスが担っています。カラスは嫌われ者ですが、実は陸のスカベンジャーという非常に重要な役割を果たしている鳥なのです。

繁華街で残飯を引きずり出しているカラスの姿は誰もが見たことがあるでしょう。多くの人がそんなカラスに腹を立てるけれど、もしゴミ袋の中にひき肉があるとすれば、それはカラスにとっては、餌みたいなもの。肉が放置されればそこから腐敗菌などが発生して、周囲にいる健康な生物の生命をも脅かすことになる。ハムやソーセージ、はんぺんやカマボコのような加工食品でも原材料は動物や魚の肉が入っているから形が違っているだけで、カラスたちにとっては餌でしかない。つまり、人間が出したゴミをカラスが食べて街をクリーニングしていることになる。見方によっては汚しているように見えるのですが、それがカラス流リサイクルなのです。われわれは毎日食べきれないほどの生ゴミを出しながら一生懸命リサイクルを謳っていますが、動物たちは当たり前のこととして自然界全体のリサイクルとクリーニングを日々食べるという形でやっているわけですよ。

カラスを食べるカラス　北海道、2007年

死の終わり

——宮崎さんがニホンジカの死体を観察している現場を見せてもらうことにした。今回は山の中で罠にかかって死んでいるシカを見つけたので、猟師に譲ってもらい、その場所に無人カメラを設置して変化を定点観測しているのだという。さぞ大きな死体が横たわっているのだろうと思って撮影場所を訪れたのだが、既にシカの痕跡はほとんど跡形もなくなっていた。

実はここにカメラを設置してかれこれ3年以上になるので、シカの死体はほとんど土に還ってしまったのですよ。今や骨片がほんの少し残っているだけ。シカの死体は真夏のものだったので、気温が高いために一気に腐敗が進んでしまいました。あまりにも急激に腐ってしまった死体は、キツネやテンなどの肉食動物は食べません。おそらく腐敗菌で自分自身の健康がマズくなると本能的に知っているんじゃないかな。何頭かはシカの死体を覗きにきたけれど、食べるかどうか躊躇しているあいだにハエがやって来て卵を産みつけました。するとあっという間にものすごい数のウジが発生して、クマがそれを食べ始めた。こうなると、驚くほどに早くシカの死体の蛋白質は消滅していって、この季節だと10日もかからずに骨だけになってしまい、やがてウジたちもいなくなって、あとは骨だけがその場に五体満足で残ります。骨の内部には骨髄もあるから、骨を砕いてそれを食べる生物もいるだろうと予測しましたが、夏の死体は骨髄までもが同時に腐敗してしまって、それすらも食べる生物がいなかった。

——冷蔵庫がないから刺身が食べられる季節は限られるということですか。

動物と微生物で競合して死体を分解しているのですね。腐敗させるというのは、動物たちに栄養源を取られないための微生物の戦略なのかもしれません。

五体満足だったシカの骨が、今まばらにしかないのはなぜでしょうか？

〈ウジをすするツキノワグマ〉長野県、2013年

それは冬を迎えてノネズミとかリス、キツネなんかが骨のカルシウムをかじるために持ち去っていったからです。彼らはほんの少しの骨で用が足りているらしく、シカの死体の骨は一度に少なくなるようなこともなく、2年、3年という時間の経過の中で少しずつ減っていきました。

30年くらい前に、北海道の大雪山で遭難した20代の青年が白骨死体で見つかったという事件がありました。ニュースでは、頭からつま先まで骨が一箇所に固まっていたと報じられていましたが、そういうふうに骨がすぐにはバラバラにならないというのが、夏の死体の特徴です。

――赤外線で体温を検知してシャッターが作動するとなると、体温のない死体の撮影は、動物が来たときに限られるわけですか？

死体の変化を定期的に撮影したいので、動物が来なくても30分とか2時間おきに自動的に作動するようにプログラムしてあります。前に出した写真集『死』（平凡社／1994年）では、そうやって撮りました。

――定期的に撮影するのと動物が来た場合に不定期に作動するのと、二段構えなのですね。

僕は当初、野生動物は頻繁に目にするのに、どうして動物の死体に遭遇する機会はめったにないのだろうか、と不思議に思っていました。生きている動物はたくさんいるのだから、同じ数だけ死も必ずあるはずなのに、なかなか死体が見つからない。それであるとき、雪山で木の根元に座ったままじっと動かないでいるニホンカモシカの老齢個体を見つけて、これは、ひょっとすると死期が近いのではないかと思い、数日間マークしていたら案の定死体になっていた。ところが、雪の中でその死体がわずか1週間ほどでなくなってしまったのです。どうしてなのか、その過程を詳細に撮りたいと思ったのがきっかけになりました。

――謎解きのための証拠写真というわけですね。

そのためには、死体発見からなくなるまでを固定したカメラでずっと追わなければなりません。間違いなく年単位の長期戦になるだろうと思ったので、そのためにカメラは雨や雪、風など、どのような天候状態でも確実に機能するハウジングが必要だと考え、まずはプラスチックケースで防水・防湿用のカメラケースを作ることから始めました。そのケースの中には、一眼レフのカメラを収納して、タイムスイッチでシャッターが切れるよう、リモコン装置を組んで。そして、夜間をはじめ、色々な時間帯でも適正露出になるように、ストロボまわりも専用のものを手作りしてシャッターと同時に発光するようにプログラムしました。

――撮影期間も準備期間もほかのものよりも長くなるわけですね。

はい、長期戦です。

僕が「死」のシリーズの撮影を始めたのは、ちょうどシカが各地で増えてきて「獣害」を起こすようになり、時代が駆除という方向に動き始めた時期でしたから、猟師が罠で捕まえたものをそのまま現場に残してもらって撮影しました。

こうして撮れた写真を見ると、死体の変遷がよく分かる。動物の死体というのは、動かないものだと思うでしょうが、実はゆっくりと動くのです。夏の状態でまだ死体が新鮮なうちはすぐにスズメバチの仲間がやって来て、鮮度のいい死体の肉片を口でちぎって肉だんご状にして幼虫の待つ巣まで運んでいきます。

――ほかの生物たちの作用によって、動くわけですね。死体に集まってきたのは、ほかにどんなものがいますか？

ガやチョウは体液を吸いに来ますよ。リスはちょんと死体をつまんでいったけど、多分脂肪を持っていったのでしょう。ふわふわのしっぽの毛がなければネズミみたいなものだから。あとはイノシシがぐちゃぐちゃの死体を食べていたから、彼らは相当腐敗が進んだものでも消化できるはずです。

夏の死体というのは、どんどん腐敗が進んでいくから、腐敗臭を嗅ぎつけたニクバエやクロバエといったハエたちがすぐに集まるようになる。

〈ヒメネズミにたかるハエ〉長野県、2015年

〈ニホンジカを食べるイノシシ〉岡山県、2012年

〈白骨死体にやって来たリス〉長野県、2013年

ハエたちは死体の匂いで次はどこまで腐敗が進むのか分かっているので、死体の目や鼻の穴、耳穴、肛門のまわりに集中的に卵を産んでいきます。そうすることで、内臓の死汁がこれら外部に通じる穴から出始めるので、ウジの赤ん坊はその死汁を伝って内臓へと侵入していきます。ハエがやって来てウジが発生し始めても、親のハエたちは死体である獲物の大きさに応じてまだまだどんどん集まって来て、まわりを飛び回ったり死汁を吸ったりしています。そして、今度はそんなハエたちをスズメバチが飛びながら捕まえていきます。スズメバチは死肉の鮮度が落ちたのと同時に生きたハエのほうにシフトしていくのがこれまたすごい生命力だなと感心してしまいました。

やがて「埋葬虫」「死出虫」などと書くシデムシが次々と登場して、死体の中に潜っていく。こうなると、死体が大量のウジとシデムシの動きによって、時には波打っているように見える。

——ひとつの死体の存在がその場を活気づけているように見えます。死の終わりというのが、時間と気候の変化、動物たちの作用が関係し合った織物のように展開されて、殺伐とした死を扱っていながら、生命力にあふれ、同時にポエティックにも見えてしまう。

ところで、冬の死体の場合は、夏とどのように違うのでしょうか?

冬の死体の場合は、昆虫たちが寒くて活動できないので野鳥や哺乳動

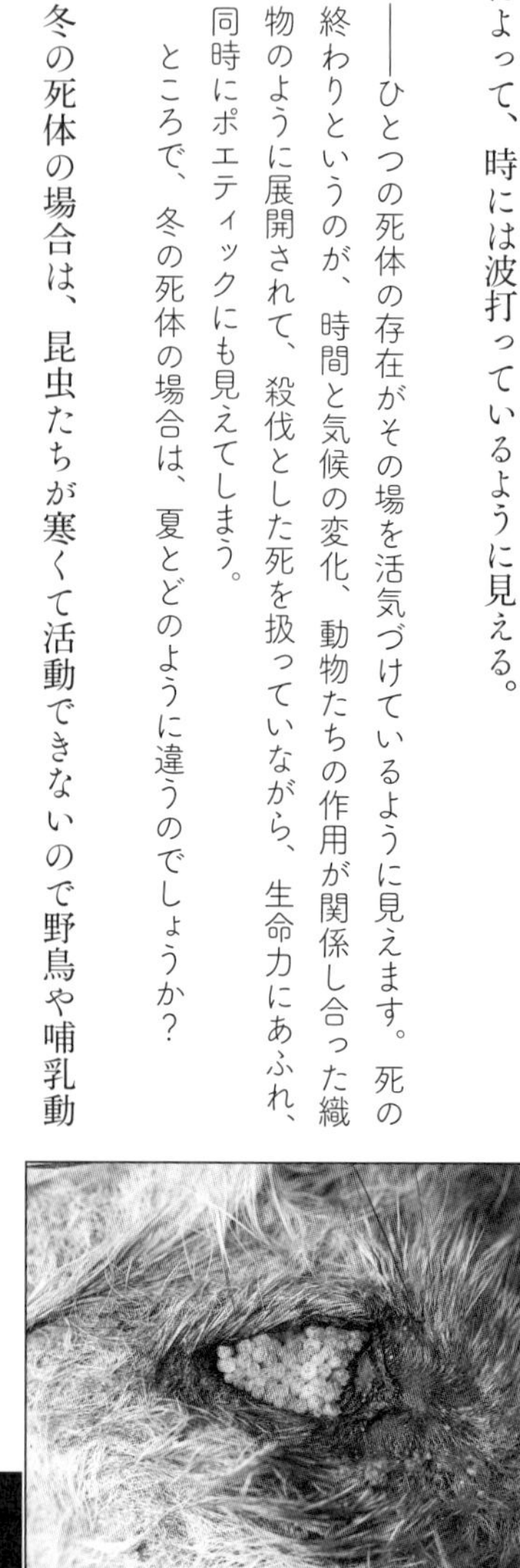

物たちの登場となります。常にほかの生物の死を待っている生物が自然の中にはたくさんいるのですよ。

気温の低い冬は、死体が鮮度のいい状態が続くから、死体を食べる野鳥や動物たちは、ひとつの死体に一斉に集まってきます。こうなると、大きな動物や小さな動物たちがひとつの死体を巡ってケンカになったり譲り合ったりで、それぞれに落ちついて満足に食べることができない。落ちついて食べたい動物たちは皆肉片を持ち去ろうとしますが、自分より大きな死体を運ぶことはできないので、死体を前足とか後ろ足などのパーツにわけて骨つきのまま持ち去ったりするわけです。クマタカやイヌワシ、カケスやカラスなどもチャンスがあれば食べに来ますから、小さな嘴で突いた穴を起点に動物たちがパーツ分けをすることもあります。

この繰り返しで現場から死体の痕跡がほとんどなくなるわけです。

——まるで完全犯罪のようですね。ということは、死体の状態から逆算して死んだ季節も分かるということでしょうか。

はい、死体を処理する生物たちがはっきりと分かれる夏と冬は推理がしやすいですね。春や秋などの中間的な季節の死体も、そのときどきの気温や湿度などで処理に当たる生物の出番が微妙に変化しています。シーズン毎にちゃんと分解に適した生物たちが登場するので1年中死体処理は粛々と行われていきます。

〈雪上のニホンジカの死体に止まるカケス〉長野県、1994年

〈雪上のニホンジカの死体〉長野県、1994年

〈ニホンジカの死体を食べるタヌキ〉長野県、1994年

〈ニホンジカの死体を食べるキツネ〉長野県、1994年

以前、サルの死体を撮っていたことがあるのですが、死体があった場所には、あとからその形でキノコが生えてきました。菌類やバクテリアなど見えない世界のことまで考えると、完全犯罪というのは、かなり難しいのだろうと思いました。

——死体を埋めたあとに生えた植物が死体捜索の手掛かりになるというのも推理小説やテレビドラマのひとつのパターンになっていますよね。鑑識課には、そんなデータがたくさんあるのでしょう。

宮崎さんの「死」のシリーズを見ていると、光合成によって自らエネルギーを作れない草食動物や肉食動物は、直接・間接的に植物に依存する消費者で、それらの死体が分解者によって土に還されて、菌類や植物の苗床になるという円環が成立していることがよく分かります。植物は環境から無機物を採り込んで有機物を作る唯一の生産者で、あらゆる有機物は、ほかの動植物が利用できるまでに分解されていく。

肉食動物とひと口に言っても、新鮮な肉を好む生物がいると思えば、少し腐敗が進んだ

上〈ニホンザルの死体にわいたウジを食べるオオルリ〉長野県、2012年
下〈ニホンザルの死体に生えてきたキノコ〉長野県、2013年

箇所でも食べられるイノシシやタヌキ、ネズミ、クマなどもいて、それぞれ食域もバラエティに富んでいるのが自然の面白いところです。腐敗の段階に応じて、さまざまな生物たちが微妙な匂いを嗅ぎ分けつつ、入れ替わり立ち替わり死体処理に来ているわけですから。

——ひとつの死体が分解されていく過程が、非常に複雑なバランスの上に成り立っていて、死体を舞台にしたドラマを見ているようです。この「死」のシリーズは、主役である死体と、それを食べに来る動物という脇役が途中で入れ替わってしまうのが面白い。つまり、主役だった死体がどんどん消えていき、脇役に取って代わられて、最後は背景だったものだけが残るという。

しかし、この無人カメラのシステムというのは、きつい腐敗臭にも耐えられる点でも優れていますね。

そうですね。でもバッテリーやフィルムの交換はしなきゃいけないから、暑い季節なんて猛烈な腐敗臭がするときもあります。残念ながら匂いは写真に写らないけど。

色々な生物が分解に関わるわけですが、春夏秋冬を通じて、その季節に最も活動が盛んになる生物が登場しては、死体を餌として処理していきます。さっきも言ったように、肉食動物たちに持ち去られて骨髄までしゃぶり尽くされてほうぼうに分散された骨は、最終的に行動範囲の狭いノネズミや小動物たちのカルシウム源になり、徐々に土に還っていく。だから自然の中では、肉食動物たちが遠くまでカルシウムの配達係をしてくれているようなものな

〈ニホンジカの死体〉長野県、2012年

〈ニホンジカの死体にわいたウジ〉長野県、2012年

〈ニホンジカの死体にやって来たキツネ〉長野県、2012年

〈ニホンジカの死体を食べるテン〉長野県、2012年

のです。そういうふうに細かく見ていくと、自然界では色々な動物たちの役割分担があって、それぞれの出番を用意されているように見えてきます。死が次の生の出発点にもなっているから、自然の中の死というのは、物質的に終息することなく、別の生へと連綿と引き継がれていくことになる。そのことは、死者が小高い山や森に登って祖霊となり、やがて神となるという日本人の死生観にも反映されているのではないでしょうか。

――なるほど、そういう視点からすれば、神が鎮座する聖域として鎮守の森を大切にしてきた日本人の死生観にも物質的な裏づけがあることになりますね。山中他界の根拠となった埋葬地を「ヤマ」と呼ぶ慣習がありますし、墓穴を掘る人を「ヤマックリ」と呼んだりもしますから、山や森と死とはどこかで繋がっているのかもしれません。「入らずの森」や沖縄の一部の御嶽(うたき)もかつての埋葬地だった可能性もありますが、考古学的な発掘調査は、極端に平地に偏っているし、聖域である御嶽の発掘やものの持ち出しはできないから、そのあたりのことはまだ詳しく分かっていません。

宮崎さんの写真からは死が終わりなのではなく、過程の総体として死があり、生と死とが一時の休みもなく連続していることがよく分かります。全てが繋がっていて途切れることがない。

僕はそういう輪廻の物語を死体を通して語りたかったのです。自然の中での死にカメラを向けたことで、あらゆる生は死に支えられていることに気づきました。さまざまな生物が関わりながら死を終わらせ、次に繋いでいくという有機的な連鎖がある。

死体をそのまま放っておくと周辺の環境全体を汚染して健康な動物の命を脅かすようなやっかいな腐敗菌やコレラ菌などが発生してしまうので、そうなる前に動物や昆虫、目に見えない微生物たちが死体を分解して無毒化していきます。有害な菌の発生を未然に防ぐシステムが確立されていて、体内に防腐剤を備えているシデムシのような昆虫もいます。そうした分解の仕組みが自然の中にあり、それに関わる生物たちは、「お前は最低限こういう生き方をしなさいよ」とプログラムされて生まれてきているようなものです。死体や腐敗物にたかるシデムシやハエ、アリ、カラス、ネズミなどは、どちらかと言えば嫌われ者ですが、もしこうしたスカベンジャーがいなかったら環境は浄化されずに大変なことになってしまう。

――まるでスタジアムで起きるウェーヴや陸上競技のバトンリレーのようでもありますね。さまざまな生物の手を借りて徐々に死が終わりを迎えるわけですが、実は同じように生の終わりというのもあって、多くの生物が生きているうちから緩慢に死んでいくのではないかとも思いました。つまり目や耳や内臓などの機能が部分的に死んでいき、ついに個体の生を維持できなくなったときに死が訪れるということです。野生動物というのは、部分的な死が訪れた時点でほかの動物の獲物になる可能性が高まり、より死に近くなりますが。

しかしながら、土葬をやめて火葬されるようになった人間は、自然を一方的に搾取するばかりで、身体にため込んだ栄養を自然に還元しないまま死んでしまう動物ということになりますね。脂肪も蛋白質も全部燃やしてしまいますから。そういう方法をスタンダード

〈ニホンジカの死体の上に降る雪〉長野県、2012年

〈ニホンジカの死体の上に積もった雪〉長野県、2012年

〈落下する雪〉長野県、2012年

〈ニホンジカの死体の上を走るノウサギ〉長野県、2012年

としている人間は、自然の中では例外的な死の終わりを迎える動物と言ってもいいかもしれません。そして、今生きている数十億人がエネルギーを使って火葬場で燃やされているわけですが、人間よりも大きな動物というのは、地球上にそれほど多くありませんから、膨大な栄養源がリサイクルされずに灰になっている。

肉親が火葬された際の灰を見たときに強烈な虚しさと哀しさに襲われたのですが、もしかしたらそれは、人間が一挙に物質的な終息を迎えてしまうことへの憤りだったのかもしれません。僕も死ぬときにはやはり自然に戻りたい。できればいきなり「さようなら」という火葬ではなくてゆっくりと土に還る土葬とか山の中での野垂れ死にがいいなぁ。

僕が子供のころには、お墓は集団墓地のように日常から隔離されているのではなく、家のすぐそばにあって、土葬された故人に会いにいくことができた。年寄りが夜ふらっといなくなると、大抵はお墓のところにいて故人と話をしていたものです。そういう人間にとって大切な時間や関係性が火葬だとぷつんと切れてしまうようで、あまり好きではないかな。病院で生まれて死に、最後は流れ作業のように火葬されてしまう今は、人の生死にちゃんと向き合うことが難しくなっていると思う。

――チベットやモンゴルでは、鳥に食べさせる鳥葬というのがありますね。日本でも沖縄などでは戦後も一部の地域で風葬が行われていましたが、今はなくなりました。人間だけは特別だと思いたいのでしょうが、自然の中で死は、ほかの動物と何ら変わらないはずですよね。死も自然の一部というか、死と生は有機的に繋がっていて、不可分なことが写真を見るとよく分かります。

鳥葬や風葬は、骨になるまでの過程が見るに堪えない部分もあるのかもしれないけれど、自然界には、ほかの動物が死んでくれないと生きていけない生物がいて、本来は人間を含めたあらゆる生物がほかの生物に食われて自然に形がなくなっていく。最近は、それこそが自然の生命として最も幸せなことかもしれないと思うようになってきました。自然の中で多くの生物が死体から栄養を得て、その生を繋いでいくというのが死の本来の姿なのですから。死を単なる物質的終わりとして片づけてしまうのではなく、エコロジー的な視点で再認識できないだろうかというのが僕のテーマだったのですが、やはり見たくないのか、敬遠されがちで、あまり発表の機会はないかな。

――自然の死、つまり「自ずから然る」ような死がテーマになっているわけですね。名詞的な「自然」ではなく、動詞的な「自然（じねん）」の死。

宮崎さんの『死を食べる』（偕成社／2002年）という本も、死から生へと繋がる命のバトンについての話ですね。食べることは直接的・間接的に殺すことを意味するわけですが、われわれの食事が多くの生物の命を奪い、ほかの生物の体に蓄えられたエネルギーを得ていることは、普段あまり意識しません。家畜化が進んだことで効率的にエネルギーを管理できるようになりましたが、日本では動物を食べる人と殺す人とを分離して後者を差別してきた歴史もありますから、「死を食べる」ということが普段は見えにくくなっている。

あの本では、人間を含めたあらゆる動物は何らかの命をもらって生きている、というごく当たり前のことを表現したつもりです。多くの人がスーパーマーケットでパック済みの食肉を見ても、それがもともと何であったのかという想像が及ばなくなっている。寿司でもハンバーグでもフライドチキンでも、みんな動物の死をいただいているのです。食事の前に「いただきます」と手を合わせる習慣についても色々な説がありますが、僕は手を合わせることに弔いの意味もあってもいいのではないかと思っています。太古の昔から動物は、大地に生かされほかの生物の命をもらってエネルギーを循環させ、最後は皆同じように大地に還っていくのが決まりですから。そして、それが自然界の一員ということではないでしょうか。

——自然と向き合わないことと、死と向き合わないことは、同じことかもしれないですね。

死というのは、確かに無惨で直視したくないものかもしれない。「あんなもの撮って」とほかの動物写真家からも随分言われました。しかし、誕生の数だけ死はあるわけで、自然を語るには、この汚くて匂いのある世界を避けては通れないはずです。生命の始まりの部分だけを礼賛する

〈寿司〉長野県、2014年

のではなく、終わりの部分もちゃんと見なければいけない。

――動物の赤ちゃんや誕生をテーマにした写真集やカレンダーは、たくさん目にしますが、宮崎さんの「死」のシリーズは、そういうカレンダー向きではないですよね（笑）。めくるごとに日に日に死に近づいていることを自覚してしまうような「メメント・モリ（死を想え）」カレンダーになってしまいますから。ただ今は、日常からあまりに死が遠ざかり過ぎているようにも思います。

九相図が字を読まなくていい絵によるお経だとすれば、宮崎さんの「死」のシリーズは、それの写真版ですね。

写真という視覚言語を使って九相図的な死生観だけでなく、自然の中にプログラムされたエコロジーの世界を見せたいと思っているのです。

人間は動物の死体から得た毛皮を防寒や道具を作るのに利用しますが、鳥類も同じで、例えば、春の死体だと最後には、シジュウカラなど野鳥が毛をむしっていきます。毛を再利用して子育てのためのふかふかのベッドを作るのですが、無事巣立ちを終えて巣が放置されたあとは、バクテリアや毛を食べる小さな昆虫が出てきて冬までに完全に分解されて跡形もなくなる。動物の死体の一部が再利用されて生まれてくる命のために使われ、それが終わるとまた自然に還っていくという流れになって

〈タヌキの死体から毛を集めるシジュウカラ〉長野県、2016年

います。

——自然の中の死においては、無駄なものは一切なくて、みんなどこかで繋がり関連し合っていくということですね。ただ無意味で恐ろしいもののように死をとらえがちですが、本来死は別の生に継承されていくものなのですね。

さっきも言ったように、巣材として死体の毛が利用されるのですが、人間が作ったプラスチックや化学繊維が紛れているとと、それだけがいつまでも分解されずに樹洞の中などにコロンと残っていたりします。自然が再利用できる物質を処理できる範囲内で出す分には何の問題もないのですが、人間はそこからはみ出しがちかもしれない。

ちなみに僕が死ぬときは、延命治療は必要ないと女房に伝えてあります。自然界には福祉も病院もありませんから、山で骨を折った動物なんて死ぬしかないのですよ。あっけないものですが、生まれたら一生懸命生きて死ぬときはすっと逝く、そんなことの大切さを自然や動物が僕に教えてくれました。

〈イノシシの顎骨〉静岡県、2014年

第3章
文明の力、自然の力

被災地の動物たち

――2011年3月11日の東日本大震災とそれにともなう原発事故の発生は、被災の範囲だけでなく年月もこれまでの自然災害とは異なる大きな被害をもたらした。福島第一原発は、40年とも、さらに長くなるとも言われている廃炉作業の途上だ。震災は人間の営みと自然の営みとのスケールの違いをまざまざと見せつけられたような出来事だったが、長年カメラを通して自然を見つめ続けてきた宮崎さんは、被災地をどのように撮影し、何を考えたのだろうか。震災発生から1ヶ月後に支援物資を積んだ車で被災地に入り、その後も継続的に無人カメラなどで撮影を行っている。

震災の1ヶ月後に津波の被害を受けた東日本の沿岸部をまわったのですが、僕が行った被災地の多くでは、既に支援物資が余り始めていたので、仕方なく持って帰ってきました。

仙台市に蒲生干潟という渡り鳥のシギやチドリが中継する場所があって、そこは40年ほど前に自然保護団体が埋め立てに反対したところだったのですが、埋め立て地がみんな流されてしまっていました。つまり、人間が奪った場所がまた自然の力によって奪い返されて、かつての姿に戻りつつあった。こう言っていいのかは分かりませんが、人間が手をつけるべき場所ではなかったのではないかなと思いました……。

埋め立てが問題化したときは、自然保護団体が渡り鳥たちの休息地や餌場となる環境保護を主に訴えたのですが、そのような場所は開発側にはただの沼地であり、経済的に利用価値のあるウォーターフロントとしか映らなかったのでしょう。そこには結果的に新興住宅地ができました。その住宅地が根こそぎ津波でもっていかれ沼地になっていた。

——日本の海岸線は近世以降、大規模な干拓地や堤防で囲われてきました。津波は防潮堤で防げるだろうという思い上がりや、そんな大災害は来ないだろうという希望的観測が被害を大きくしてしまったと思いますが、自然を克服し、支配しようとしてきた近代が津波によってさらわれてしまったとも言えるかもしれない。海岸線の風景が一挙にそれ以前に巻き戻ってしまったかのようです。そして、そこをさらに高いコンクリートの壁でまた囲おうとしている地域もある。

南三陸町に行った際には、津波で泥に覆われた地面にタヌキの足跡をたくさん見つけて撮影しました。彼らは餌を探してよく水辺を歩くため津波の水が入ってきたところまで出てきたのでしょうね。当時、動物の足跡なんて誰も気にしていなかったけれど、震災直後に腐臭を嗅ぎつけた動物の足跡をたどれば、遺体捜索にも役立ったかもしれない。

ある日、テレビを見ていたら東松島市で火葬しきれなかった遺体を仮埋葬するために土葬の穴が掘られた様子が報道されていたのですが、よく見るとその穴が深さ1メートルくらいしかなかったので、現地の知り合いに連絡してもっと深く掘るように伝えました。その程度では動物たちが簡単に掘り返してしまうのではないかと思ったので。

――仮埋葬の映像はテレビで見ましたが、そんなことは思いもしませんでした。放射性物質のために帰還困難区域とされた場所にも無人カメラを置いてみたそうですね。

福島県の川俣町の学校の校庭に動物の足跡があったので、教育委員会の許可をもらって無人カメラを仕掛けてみたら、タヌキやイノシシ、ハクビシンなんかが写りました。いかにも高価そうなネコも写っていました。帰還困難区域が人間の気配のない動物の楽園になるのは時間の問題だと思います。川俣町の仮設住宅を見下ろす場所に仕掛けたカメラには、ネコやイヌ、ネズミぐらいしか写らなかったけれど、今後も時間をかけ

〈南三陸町のタヌキの足跡〉宮城県、2011年

〈仮設住宅とイヌ〉 福島県、2013年

〈仮設住宅とネコ〉 福島県、2013年

て丁寧に撮影していけば、色々な動物が写るはずです。

――かつての主人を探している元ペットかもしれないですね。帰還困難区域では、家畜だった動物が弱肉強食の生存競争の中に投げ込まれるか、逃げ出せないまま死を迎えました。

酷い話だよね。

震災から2年後には、震災直後には真っ暗だった福島市にも煌々と明かりがついていたので、市内を見下ろす場所にたった2晩だけでしたが、地主の許可をもらって無人カメラを仕掛けてみたら、すぐにタヌキとハクビシンが写りました。野生動物の視線を借りて街の明かりを見てみたかったので、ここにカメラを設置したのですが。

――東京も多くのネオンが消えて、ヨーロッパの都市ぐらいの心地いい明るさになりましたが、それもつかの間で、すぐにもとのチカチカする明るさに戻りました。東京や香港など東アジアの都市は、やたらと明るくする傾向がありますね。衛星写真で見るとそのことがよく分かります。

便利さと引き替えに、原発を使うことによって、われわれは大変な危機を体験したのですから、その後の電気に対する人々の意識がどうなったのかを探りたいという思いがまずあり

〈夜景とハクビシン〉福島県、2013年

〈校庭にやって来たネコ〉福島県、2013年

ました。「復興」と言っても、電気エネルギーをいけいけどんどんで使っていたこれまでと同じ水準に戻すことが、本当の意味での復興なのだろうかと思っていましたから。無駄な電気使用を少しでも減らしながら原子力発電を最小限にし再生可能エネルギーに移行していく。福島はそんな拠点になるのかなという期待もあったのです。

――限りある化石燃料に頼らずにクリーンなエネルギーを安定供給するというのが原子力発電の名目だったのでしょうが、その管理と事故処理に膨大な時間とエネルギーを要する、クリーンとはほど遠い不完全な技術だということが露呈してしまった。ちなみに、帰還困難区域周辺の印象は、震災直後と数年後ではどう変わっていますか？

2016年に帰還困難区域内に許可をもらって入りましたが、既に田んぼや畑には雑草が伸び放題で、かつての風景から様変わりしていました。草原を好むウサギやキジが着実に増えているのが目立ったし、イノシシなどの大型野生動物も猛烈に増えている感じがした。福島の浜通りの国道6号線は、復興関係の業者で猛烈な交通量でしたが、「獣と衝突」という注意喚起の看板がたくさんありましたね。

その脇で、大勢の白づくめの人たちが「除染」という名のもとに、落ち葉の収集作業を繰り広げていて、その光景は何

〈立ち入り禁止区域のツグミ〉福島県、2013年

か空しい抵抗をしているな、と語弊があるのは分かった上で言いますが、滑稽な姿にも見えてしまいました。

——住宅や農地周辺といった決められた区域だけを除染していますが、森林などの広大な除染対象区域外からも、絶えず放射性物質が水や風によって運ばれてきます。再汚染や、汚染のなかった地域にも広がる可能性がつきまとってしまう。山火事があれば二次飛散しますし、消火に当たる人の被曝リスクも出てくるでしょう。今の除染は、放射性物質がいつまでも同じ場所に留まっていることを前提としたものに思えてしまいますね。自然は不変ではないし、汚染された動物も人間の引いた境界など関係なく移動し続けますから。

生物にとって危険な物質が風や水、交通機関、動植物などを介して広範囲を循環するわけですよね。自然に生かされているはずの人間が、自然の手にさえ余るような毒物を今後どれだけ自分たちの力で処理できるのかは疑問だと思います。何十年、それよりはるかに長い期間環境を汚染する危険性のある放射性物質を公共事業に利用することに、ポジティヴな意味があるとは思えない。近くの宮田村にも放射性物質含有の廃棄物の最終処分場の建設が民間事業者によって計画され、住民による反対運動が起きています。

——農家にとっては、耕作に適した表土を剥がさねばならない上に、消費者の買い控えもあり、ダメージは深刻でしょう。長い時間をかけて土を作ってきたのに。今行われている

〈水辺のオオバン〉福島県、2013年

除染は、岩を山頂まで運んだ途端に毎回岩の重みで転がり落ちてしまうシーシュポスの神話のような話です。除染作業が終わったと言っても、例えば、飯舘村は面積のほとんどが山や森林だったりするので、完了とするには乱暴過ぎないでしょうか。

宮崎さんは、チェルノブイリにも行かれたのでしたよね？

事故から10年後の１９９６年にチェルノブイリに行ったのですが、時間が止まっている感じでした。自然の回復力というのはすごいもので、人間が長年管理してきた場所に手が入らなくなると、すぐにもとの姿に戻ろうとする。まず雑草が生えて、その雑草も翌年にはより乾燥度を求める雑草群に変わり、さらには樹木が雑草群にとって代わっていくという、植物たちの１００年以上を見越した成長戦略を目の当たりにしました。シラカバの仲間の種子は、ウイングを持っていて風に乗って遠くに飛んでいくから、森に近づけば近づくほど、木がだんだんと高くなっていって、森が拡大している様子を確認できましたね。耕作地や周辺の人工物はどんどん森に向かって飲み込まれていくことになります。

――「あとは野となれ山となれ」という言葉がありますが、その通りになっているのですね。日本の大部分は多雨な温暖湿潤気候ですから森林の回復力が高く、放っておけば野や山（森）になる環境だと言えます。

松尾芭蕉の「夏草や 兵どもが 夢の跡」という句の通りですよ。チェルノブイリでは既に野生動物が大繁殖をしているようですが、これは放射能によって人間が追い出されたため広範囲に「人圧」がなくなり、野生動物たちが安心して棲み始めたことによります。もちろん遺伝子異常なんかもあるでしょうが、ほとんどの生物は、人間よりも寿命が圧倒的に短いから、人間ほどは長期間にわたって身体に放射性物質が蓄積するわけではない。

――野生動物の変異体は自然の中では生き残れないものが多いですから、少ないように見えるということがあるかもしれません。人間の場合はまた違ってきますが。

2016年から17年にかけて、浪江町の立入禁止区域になっていた場所で住宅の持ち主の許可をもらって玄関先や室内、庭や物置など4箇所に無人カメラを置いてみました。まず驚いたのは、アライグマがたくさん写ったこと。それと巨大なイノブタがいたことです。放射性物質から逃れるために住民は大急ぎで避難したのですが、飼育されていたブタは残されました。豚舎から逃げ出した個体が野生のイノシシと交尾をしてイノブタが生まれたのでしょう。撮影された巨大なイノブタは、牙もあるオスでしたから、これからもイノシシやイノブタたちと交わって増え続けていくことでしょう。その証拠に、無人となった集落中の畑や庭、土手などはイノシシたちが放射性物質が降りつもっているかもしれない地面を掘りまくっていました。住民がよそに避難して空き家になった場所をすみかにした野生動物たちが、我が物顔で闊歩している。

――イノシシの高い繁殖力をさらにアップさせて飼育しやすいように家畜化したのがブタですから、交配可能なのですよね。『チェルノブイリの森―事故後20年の自然誌』（メアリー・マイシオ著／中尾ゆかり訳／NHK出版／2007年）という本で事故後に置き去りにされたイヌと、数が少なかったオオカミとの間の雑種が一旦は増えたけれど、オオカミの数が安定してくると、競合する雑種を追い出したり殺したりして個体調整していたという話が出てきました。人間が蚊帳の外に置かれた場所で、独自の秩序が作られていくのだと思います。帰還困難区域への帰還というのは、そのように動物に半ば占有され、過疎化が一挙に進んだ場所に戻らなければならないことになります。

帰還困難区域の動物たちの活動範囲は、山を中心としたものからかつての街のほうに変わってきていると思います。海と街の人工的な境界が津波によって破壊されてしまいましたが、こうした帰還困難区域の様子を見ると、放射能という目に見えない「科学の檻」が人間を拒絶して「動物王国」を作りあげたとも言える。人間が放置した場所で野生が再生することを「リワイルディング」と呼び、それについての映画（『あたらしい野生の地―リワイルディング』／マルク・フェルケルク、ルーベン・スミット監督／2013年）もできているようですが、福島ではもうとっくにそうなっているのです。

――原発事故が山と街の境界も破壊して、巨大な自然公園ができてしまった。自然が息を吹き返して、人間たちに邪魔されない動物たちの楽園ができたようにも見えるけれど、そ

〈動物たちが荒した居間に入ってきたテン〉福島県、2017年

〈家屋に出入りするアライグマ〉福島県、2017年

〈家屋に出入りするイノブタ〉福島県、2016年

〈物置に現れたニホンカモシカ〉福島県、2017年

こには人間の残した放射性物質による見えにくい影響があって、その環境に適応できた個体だけが生き残っていく。

そもそも核エネルギーというのは、原子の鎖を人為的に断ち切ることで解き放たれるエネルギーですから、自然と人工との境界を破壊する技術です。そして、核燃料サイクルというのは、化石燃料という有限な資源に頼ることなく自然から隔絶されたところで人為だけによるエネルギー循環を目指したものでした。もし自然の法というものがあるとすれば、原子力という消せない火に手を出し、自然の法に反した物質を生み出してしまった人間は、無法者と言えるのかもしれない。

人間は自然をねじ伏せて自分たちだけの歯車を無理やり動かそうとしているように見えます。放射性物質というのは、基本的にはどんな植物も優れた植物も、バクテリアもスカベンジャーも吸収することはできても分解することはできません。原発事故というのは津波や台風などと同じ自然災害とは一線を画すもので、いわゆる「人災」にほかならない。

——生態系の中での分解者は、分子レベルまでしか分解できませんからね。放射性物質に限らない話ですが、人間は自然の力では分解できないものを生み出してしまう動物だと思います。セシウム137の半減期は30年で、人間の半生に近いほどの長さがあるし、プルトニウム239の半減期は24110年、プルトニウム240は6564年です。その毒性を軽減するには、安全な場所に隔離してただ延々と待つほか術がないわけですが、このような物質を人間と隔離してそれほど長い年月を安全に管理し続けるというのは、ほとんどSFのような非現実的な話でしょう。

宮崎駿の映画『風の谷のナウシカ』は、「火の七日間」という核戦争のような出来事の後の世界を描いていますが、あの物語では、「腐海」という森が広がり汚染された大気を浄化するという設定になっていました。実際にはそのような機能を持つ都合のいい森は存在しないわけで、帰還困難区域に放置された植物がかつての人間の街を侵食してゴーストタウン化していくばかりです。

「エコでクリーン」という電力会社の宣伝文句はまったくのデタラメだったということですよ。地球温暖化の原因だとされている二酸化炭素などの温室効果ガスを出さないというだけで、それと比べ物にならないほどの危険物質を出すのですから。われわれは、便利な生活のための電力を補うために原発を考案し、それによってあらゆる生命を脅かすような強力な毒物をこれから先、何世代にもわたって管理していかなければならなくなってしまった。

——近視眼的な技術ですよね。極言してしまうと、ヒトという種を減らすのが一番のエコロジーということになってしまいそうです。自らの生存を脅かしかねないほど環境への人間の影響が大きくなってしまったわけですから、いっそのこと「人間保護」と言ってしまったほうが欺瞞的でない気がします。

ときどき想像してしまうのは、もし人間が絶滅したとしても、自然は何事もなかったよ

〈キジ〉福島県、2013年

〈キツネ〉福島県、2013年

うに持続していくのだろうなということです。ただ人間がいなくなれば、「自然」という概念もなくなるとも言えますが。

「自然保護」とか「自然にやさしい」と言いますが、自然に守られて生きている人間がおこがましいのではないかと思います。原発というのは、この先繋がっていく未来の生のことを考えていない技術なわけです。だから生態系にプログラムされたエコロジーの世界をちゃんと見て、人間もその一員であることを理解することが重要だと思うのです。僕も還暦を過ぎましたから事故を起こした福島第一原発がどのようになっていくのかを見届けることは時間的にできないのが残念ですね。

自然由来の化石燃料というのは、基本的には燃やしても生物にとって危険な物質は出ません。例えば、「温室効果ガス」と呼ばれてネガティヴなレッテルを貼られている感のある二酸化炭素は、確かに地球からの放熱を遮断する性質を持っているので、温暖化にともなう海面上昇の原因になると言われていますが、生産者である植物が光合成に利用しているという意味で、むしろ生態系になくてはならない物質のひとつ。

――二酸化炭素は駄目だけど、放射性廃棄物はいいというのは、まったくもって筋が通らない話ですね。

宮崎さんは、福井県の美浜原発近くのビーチに集まる海水浴客たちの写真を撮っていますね。あそこも原発からの温排水によって海水が温かくなっています。その意味では、原発も海水温め装置として地球温暖化に貢献しているわけで、「温室効果ガス」が駄目で原発がいいという話にはならないはずなのですが、原発のほうがエコという強弁がまかり通ってしまった。

原発をのぞむビーチにかわいらしい動物の浮き輪を持ってきて能天気に海水浴を楽しんでいる客がいたので、そんなふうに自然を甘く見ているといつか事故が起こるのではないかと危惧して撮った覚えがあります。『アニマル黙示録』（講談社／1995年）に収録した写真でしたが、残念ながら「黙示録」が現実になってしまった。

――美浜原発や福島第一原発で作られた電気は、多大なロスを発生させながら都市部へと送電されていましたから、地産地消ではないのですよね。都市生活者の電力消費と安全を維持するために原発を産業とする道を選ばざるをえなかった地方にリスクを押しつけてきた側面があります。こういう非対称な構造を隠していたヴェールが津波で流され露わになってしまった。

福島の原発事故は、地震という自然災害がきっかけで引き起こされましたが、ひとつ強調しておきたいことがあります。それは、確かに地震や洪水は人間にとっては災害かもしれないけど、一方でその恩恵を受ける動植物たちもいるということ。例えば、堤防や川岸が崩れて露出した新しい土壌にはカワセミやヤマセミ、ショウドウツバメが巣を作ります。地形が変わったことを歓迎する動物だっていて、人間が工事で山などを新しく崩した場所や砂を運んできて客土したようなところにキツネなんかもよく巣穴を作っています。台風や大雪が木の枝を折れば、そこから腐りが入って動物たちのすみかになる樹洞ができる。山火事によって発芽を促される植物もあるし、ライバルが消えたことで栄える植物だっています。

――今回津波被害にあった場所では、絶滅危惧種だったミズアオイがあちこちで繁茂しているようですから、環境の変化にともなう生育のチャンスを待っている植物もあるわけですね。生物多様性を保つためには、安定した状態だけがいいとは必ずしも言えないところがある。人間にとっても小規模な洪水が土壌の豊饒化に繋がることもありますから。もちろん適度な自然攪乱に限定すればですが。

自然はたくましいので、その場所の環境が変われば、それに適した動植物たちがやって来るわけで、環境もまた変化していくのですよ。だから、ネガティヴなイメージを持たれがちな二酸化炭素と同じで、われわれが「災害」と呼ぶような自然攪乱を必要としている動植物もいて、どういう立場から物事を見るかでその意味も変わってくる。人間にとって自然はありがたいものであると同時に、時には災害をともなう暴力的なものでもあるのですから、うまく折り合いをつけていかなければなりません。

〈巣を飛び立つショウドウツバメ〉北海道、2002年

〈ショウドウツバメのヒナ〉北海道、2002年

〈カラスの巣とヒナ〉福島県、2013年

〈美浜原発と若者たち〉福井県、1993年

〈カラスの巣〉福島県、2013年

——ツキノワグマは胸の模様以外は真っ黒な毛衣で覆われているために個体識別が難しい。大きさもシェパードくらいの小さなものから、100キログラムを超える大型のものまでさまざまだ。研究者はクマの首に発信器をつけたりして個体識別をしているようだが、その方法は捕獲した個体にしか適用できない。無人カメラに写ったクマも以前と同じ個体なのかは判別し難いところがある。19世紀以降、警察は写真や指紋を使って再犯者の同定をしてきた歴史があるが、宮崎さんはどのようにクマの個体識別をしているのだろうか？

クマクールとマタミール【くまくーるとまたみーる】

僕の写真に写ったクマをよく見てみると、それぞれが違った個体のように見えました。だからここにはものすごい数のクマがいると言いたかったのですが、ちゃんと証明しなければいけないと思って、個体識別のための「クマクール」装置を考えました。

まず作ったのは、クマをその装置の前に呼び寄せるための匂いのもと。成分は企業秘密なのですが、山の中のペンキ塗りたての看板がクマにかじられたり、発電機のガソリンが舐められていることをヒントにして揮発系の物質を調合して作りました。クマクールに入っている誘引剤の匂いに誘われて「マタミール」と名づけた装置の前に「クマが来る」という仕掛けです。

クマクールは1・8メートルほどの直方体で、その装置の上のほう、つまりクマが立ち上がらないと届かないところに誘引剤

クマクールにつかまり立ちするツキノワグマ　長野県、2008年

直立するツキノワグマの股間　長野県、2008年

が設置してあります。匂いに誘われて来たクマが、立ち上がって中を覗こうとすると、クマの股間と腹の位置に据えつけられたカメラが作動して撮影される仕組みになっています。これで性別や妊娠経験の有無が分かる。もう一台別に全体が写るカメラを仕掛けておけば、クマクールにつけてあるメモリで身長も測れて一石三鳥。クマは体全体を厚い毛皮に覆われているし、性器も尻尾で隠れていて写真ではオスかメスか判別しにくいから この方法で「股を見る」ってわけ（笑）。股間だけでなく誘引剤のあるところに無人カメラを仕込んで鼻の鼻紋も撮影できるようにしておけば、人間の指紋と同じようにクマの個体識別もできる。ちゃんと予算がついて学者と協力できるならロボット・アームを利用してDNAを採りたいところですけどね。

近ごろは個体識別や個体数の推定のためにクマの耳に識別タグをつけるという方法もなされています。しかし、タグの番号を読むには、もっと大きなものを作る必要があります。いくつかの自治体では、人里に出没して罠にかかったクマを「おしおき放獣」する際にタグを取りつけているみたいです。

ツキノワグマの鼻紋① 長野県、2006年

今の鳥獣保護法では、クマを罠で捕獲することは禁止していますが、例えば、イノシシ用の罠に誤ってかかったクマの鼻面にトウガラシが入ったスプレーを吹きかけて、懲らしめてから山野に放すといった行為については、僕はちょっと疑問がある。「学習放獣」とも言われるこの方法は、確かに一定の効果はあるだろうし、クマを殺さずにすむかもしれないけれど、人間を逆恨みしないとも限らない。保護という名目で、いたずらにいじめているだけにも見えなくもない。クマによっては人間への憎悪をかきたてられる個体だっているのではないでしょうか。イヌだっていじめられた人のことはずっと覚えていて、その人が通れば吠えたり咬んだりしますよ。クマも捕まえた人の声や匂いを覚えていると思う。同じ銘柄のシャンプーや洗剤の匂いがすれば、濡れ衣を着せられて人違いの襲撃という可能性だってあるかもしれない。

僕が人里近くに設置している無人カメラには、タグをつけたクマが頻繁に写るのですが、これは過去に捕まったことのある個体が懲りずに再びやって来ているという証拠でしょう。動物たちが必ずしも人間の期待通り

ツキノワグマの鼻紋②　長野県、2006年

に行動してくれるわけではないと考えれば、おしおき放獣というのは、見方によっては人に恨みを持った「手負いグマ」を量産していることにもなりかねない。おしおき放獣の後にクマが襲ってきたとか、調査用に発信器をつけた個体が、山に向かわずに人間のほうに向かってきたという話はいくつもありますからね。

　十人十色と言うように、動物だっておしおきの受け取り方はそれぞれでしょうし、逆効果の個体だっているのですよ。全てのクマにタグがつけられているわけでないのでそんなことはできないけれど、人身事故を起こしたクマの犯罪歴を調べてみたら、昔捕まって人間に恨みを持った個体だった、なんて可能性もなくはないと思います。クマの命を守るという善意の思い込みが、自然を見る目を曇らせて、重大なボタンの掛け違えをさせている可能性もあるのです。

親子のツキノワグマ　長野県、2009年

外来種と在来種

——今や都市の中にもいわゆる外来種と呼ばれる野生動物が数多く生息していて、日本の動物地図を塗り替えつつある。都市の動物と言えば、カラスやハト、ネコぐらいしか普段目にしないが、思わぬところに思わぬ動物がたくさん潜んでいるようだ。宮崎さんが東京工業大学の大岡山キャンパスをすみかにする外来種を以前撮影したことがあるというので、現在の様子を見に行ってみることにした。キャンパス内のイチョウ並木の下には、大量の糞が落ちていた。

これはイチョウ並木をねぐらにしているワカケホンセイインコの糞で、夕方になるとここに一斉に帰ってきます。この糞の量だと数百羽はいるんじゃないかな。インドやスリランカ原産のオウムの仲間で、ペットとして日本に入ってきたみたいですね。現在は都内のあちこちに生息していて東京という狭い範囲だけで1000羽以上もいるらしく、これまで日本にいなかった野鳥の数としてはかなり多い。人間の言葉を覚えたり、動きがかわいいからペットとして人気があったのでしょうが、逃げ出した個体がここではこんなに増えてしまった。

——東京のヒートアイランド化が南方系の動物が定着できる要因のひとつでもあるのでしょう。まわりの市街地に比べて大学のキャンパスは緑が多いですし。こういう外来種の移入についてはいつごろから調査をしていたのですか?

20年以上前からです。それぞれの土地でそれぞれの環境に合わせて長い時間をかけて進化してきた生物が、人間の移動手段を介してこれまでたどってきた移動や進化の時間軸を一挙に超えてしまうという事態に関心があるのです。いきなりまったく違う環境に放り込まれた動物たちが、経験したことのない環境でどのような戦略を用いて生き抜いていくのか、といったことを調べようと思っていたのですが、そんなときに、「週刊現代」の記者が、雑誌で東京都内にいる動物などの特集を組めないかという仕事を持ってきてくれたのが、集中的な撮影のきっかけになった。担当記者は、独自に取材を進めていて記事にすることはできるけれど、写真が撮れないから撮って欲しいということでした。

――一般的には都市のコンクリートジャングルでは、動物はほとんどいないという認識ですからね。カラスやハトなどよく目にするもの以外はほとんど意識の外へ排除されてしまっているかもしれません。

ところが、タヌキやハクビシンなどがけっこう間隙を縫って都会で適応して生き抜いていることに気づき、そこを記録しようということになったわけ。そのなかにワカケホンセイインコもいて、東京工業大学の構内に夕方になると集まってきて眠るという情報が入ってきたので、大学側と交渉をして、建物の屋上に上がらせてもらいました。そこで夜が来るのを待つと、やがて200羽近くのインコたちがどこからともなく集まってきて、少し離れた電線に止まってからしばらくすると一斉にねぐらであるイチョウの木に舞い降りてきた。そのときに、あの鮮やかな緑色をしたワカケホンセイインコを初めて見たのですが、感動というよりも憤りのほうが強かった。東南アジアの野鳥がこんなにも都内で野生化してしまっていいものか、もうこれは手遅れではないかと。

――野生化のきっかけは、籠抜けしたり、飼いきれずに遺棄されたりしたことにあるのでしょうか?

インコを積んだトラックが事故を起こしたことで逃げたという説もありますね。ただ、もっと意図的に放鳥されたことで野生化した鳥もいて、その代表がソウシチョウ。神戸の華僑が中国の春節祭（旧正月）のイベントで放したことで広まったというふうに言われていて、今では六甲山なんかでは一年中見ることができるみたい。もともと中国南部やベトナムのようなところに生息する南方系の鳥なのですが、それが長野の山の中、しかも雪の中にいるというのは、絵としてなかなか面白いでしょう。

——中華街というのは、世界中にありますから、もしかしたらその周辺では、この鳥が野生化している可能性がありますね。日本街というのは中華街に比べれば多くありませんから、日本人の「外来種」としての適応能力は、それほど高くないのかもしれません。

日本の自然暦は、例えば、「○○が鳴いたら○○を撒け」とか「○○が鳴いたら○○が食べられる」いう形が多くて、それによって作つけや食べ物の旬を知るというものですが、こうした外来動物が入ってくると、そういう季節と鳥の因果関係も変わってきてしまうかもしれません。「花鳥風月」というくらいですから鳥は季節や風流を感じる上で重要な要素だったのでしょう。

今は耳が悪くなってしまったけど、子供のころは野鳥の声を聞き分けて季節を感じていました。

〈ソウシチョウ〉長野県、2012年

日本では明治期以降の乱獲で野鳥が減り、それでも昭和の中ごろまではまだ何種類かの野鳥の飼育が認められていたけれど、その後、愛鳥団体なんかが和鳥ではなくブンチョウやインコなどの洋鳥を飼おうというキャンペーンを張ったこともあって、外国の鳥の輸入が増えました。

——自国の野鳥は駄目で、外国のものなら獲って飼ってもいいという理屈は変ですよね。

その通りですが、日本では法律で野鳥の捕獲は原則禁止になってしまった。合法的に飼えるのは、メジロとホオジロの二種類だけでスズメも駄目。だけど過剰な保護政策によって外来種が導入され、結局それらが野生化してしまって在来種を脅かしてしまうのでは、本末転倒じゃないかな。すぐに愛鳥団体などから反発が来るのであまり大きな声では言えないけれど、スズメやメジロやヤマガラなんてどこにでもいるからちょっとばかり飼うぶんには、自然に対してマイナスにはならないのではないかと思いますよ。むしろ飼うことによって地域の環境や日本の動物というものをもっと知り、ひいては日本の自然環境全般の仕組みというものを理解するきっかけにしたほうがいいんじゃないかと。

——確かに鳥と接する機会は、友人宅などでペットとして飼われているようなオウムやインコ以外あまりなかったです。宮崎さんの子供時代には、どんな鳥を飼っていたのですか？

〈東京工業大学キャンパスのワカケホンセイインコ〉東京都、1992年

〈ワカケホンセイインコ〉東京都、1992年

ヤマガラなんかよく飼ったね。漢字で書けば「山雀」という字になるように、山野には街場のスズメのようにたくさんいた鳥で、巣箱を架ければすぐに入って子育てをしました。巣立ったばかりの子供を籠で飼育して、それをおとりにしながら秋になると別のヤマガラを捕まえたりね。おとりの横に「落とし籠」という竹のヒゴで作った小さな籠を置いておいて、天井の半分を開くと、籠の中にエゴの実を入れてあるからヤマガラがそれを求めて飛び込んできました。ヤマガラが入った籠の先に止まり棒があって、その棒がクルリと回転する仕組みになっているから、その回転棒に止まった瞬間に半開きの天井板が閉まって捕まる。こうした捕獲するまでのプロセスに環境を読むたくさんの知恵がいるから、まさに作戦通りに進んで実際に捕獲できたときには自分の予測の答え合わせができるし、教科書のない世界をやりとげたという満足感で一杯になりました。この「落とし籠」は、小鳥屋さんで普通に売られていて、3000円も出せば誰でも買えました。裏を返せば、そのくらいにヤマガラの習性を理解して考案された製品だったということ。こうして、子供時代はとにかくいろんな野鳥を捕まえては飼育しました。

――平安時代に既に「ヤマガラ籠」という飼育専用の道具があったようですし、神社の縁日などで行われていたヤマガラの見世物芸も昔からのもののようですね。日本各地に「ヤマガラ

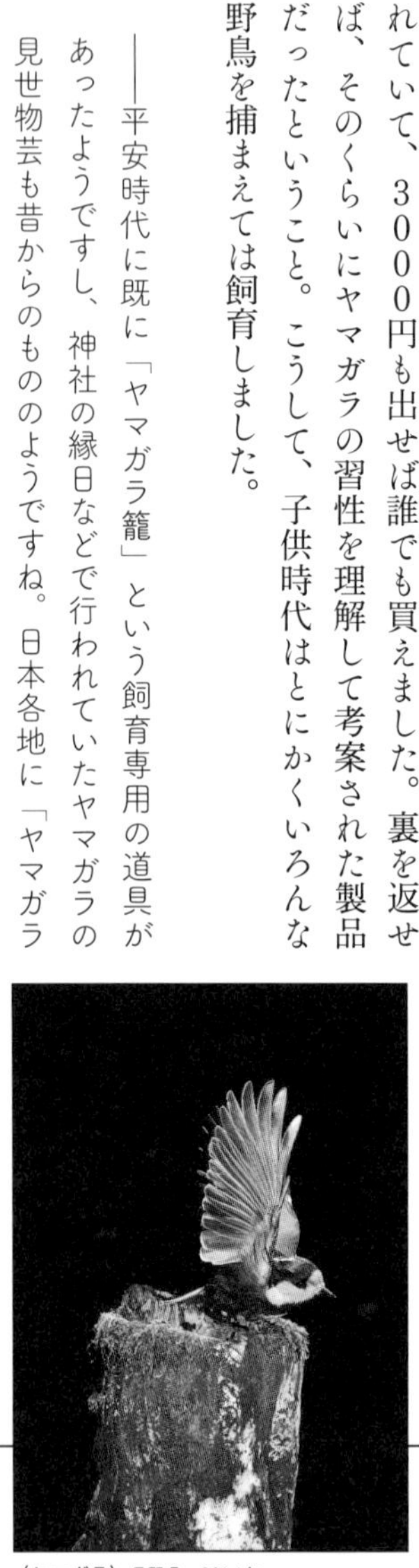
〈ヤマガラ〉長野県、2014年

使い」がいたようで、おみくじ引きとか水汲みとかかるた取りなどさまざまな芸を仕込んでいたようです。

ヤマガラはけっこう学習能力が高くて芸達者な鳥なのですよ。ほかにもウグイスとかメジロ、オオルリやイカルなど好みに応じて愛好家たちが飼って、日本の自然を愛でながら理解し保護もしてきた歴史があります。派手さや物珍しさにつられて安易に海外の動物を輸入して身近な日本の動物と向き合ってこず、本来ある日本の自然環境の理解が浅くなったことが、今日の外来種の蔓延という事態を引き起こしている大きな原因だと思いますよ。

――インコやオウムは派手で見栄えがいいですからね。和鳥の飼育が禁止になるとそういう動物芸の文化も廃れてしまうけれど、サーカスや動物園のほうに引き継がれていったのでしょう。鎖国していた江戸時代にも長崎に中国船やオランダ船によって色々な珍獣が入ってきて見世物興行に使われていたみたいで、珍しい鳥を見せながら茶を飲ませる「鳥茶屋」というのもあったようです。江戸時代にはまだ将軍とか上流階級の贈答用や見世物用にとどまったので外来種が爆発的に増えるということはありませんでしたが、開国後は庶民にまでその裾野が広がっていきます。日本人は見物すると縁起がいいとか、舶来物だとかいわれると弱いのかもしれませんね。当たり前になり過ぎたせいか、あまり指摘されませんが、洋犬だって外来

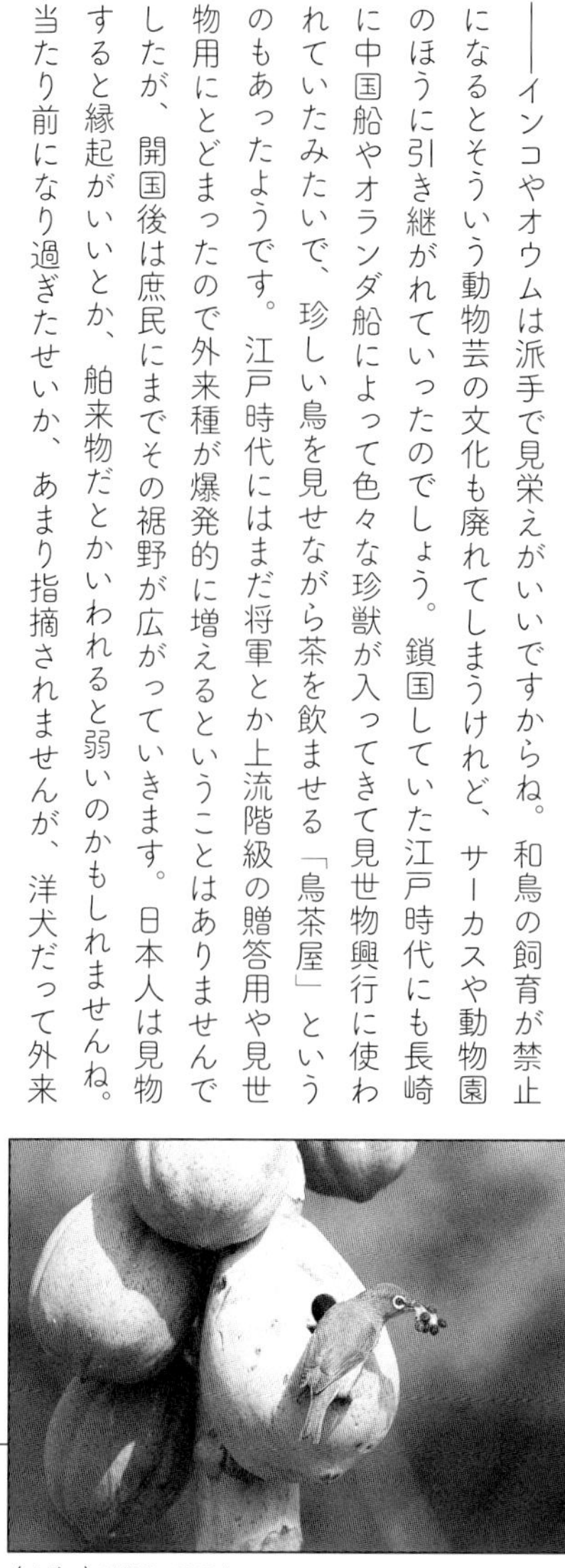

〈メジロ〉沖縄県、1999年

種ですしね。柳田國男は「日本犬は原始的であったためか、負けてわずかのあいだにみな雑種になってしまった」と嘆いていますが、明治時代に驚くべきスピードで雑種化が進んだということのようです（『明治大正史　世相篇』／朝日新聞社／1931年）。

ほかに日本で野生化している外来種で見て驚いたものはありますか？

ある日、新宿駅から2、3分のところにある繁華街を歩いていたら、カップルがビルの隙間を覗いていたので、何をしているのか尋ねたところ、「変わった動物がいるみたいで」って言うんだよ。それで僕も覗いてみたのですが、生ゴミを漁った痕跡があっただけで何も見えなかったので、その場所に無人カメラを設置してみました。すると、ビルの隙間を移動するノラネコに混じってアライグマが写った。アライグマは、尿の匂いがきついことや成長すると気性が荒くなることがあるので飼いきれなくなって捨てられたり、器用な手先を使って飼育檻から逃げ出したりした個体が増えて全国に広がっているみたいで、まさか大都会のど真ん中で北米産のアライグマに出会うとは思いもしなかった。こんな場所にいるのならば、実際に行動しているアライグマを自分の目で確かめようと、歩道を挟んだ対岸の営業を終えた店の軒下にたたずんで深夜に粘ってみた。するとビルのあいだから出てきました。通行人が無関心なことをアライグマは見抜いてて、飲食店から出たゴミを堂々と漁り始めたので、顔を出したところを正面から手持ちのカメラで撮りました。新宿のアライグマは、器用に手先でエサを探して配水管などを利用しながら三次元で移動してましたから、木登りが得意な彼らにとっては、繁華街も高い建物が乱立する一種の森みたいなものじゃないかな。ただ彼らは、人体に危険なアライグマ回虫なんかを持っていたりするので、かわいいからといって安易に近づいたりするのは、危険ですよ。

――都市が人間だけの独占物ではなくなっているのでしょうね。広域から食物が集まってくる都市に棲む動物のほうが、栄養状態がいいという場合も多々あるでしょう。人が集まれば集まるほどゴミは増えますし、食域が広い動物にとってはすばらしい環境になります。

アライグマは、アメリカの小説（スターリング・ノース『はるかなるわがラスカル』／亀山龍樹訳／復刊ドットコム／2004年）を原作にした「あらいぐまラスカル」が1977年に日本でアニメ化されて大ヒットしてからペットとして飼う人が一気に増えたようです。僕も見ていた番組で、主人公の少年と「ラスカル（「いたずら小僧」の意味）」の友情物語だけでなく、人間と動物の共存の難しさもテーマになっていましたが、前者だけが視聴者に伝わってしまったのかもしれませんね。警戒心よりも好奇心が強い動物のようなので、都市向きではあると思いますが。

アライグマも、動物園から脱出したと言われている60年代を皮切りに都会から地方まで日本の広範囲に生息する動物になってしまいました。農作物を食い荒らしたり、電気配線をかじってショートさせたり、天井裏で糞尿被害を与えたりなどの「いたずら」によって各地で問題を起こしているようです。こうした外来種の増加は、動物の都合のいいところだけを見てきたツケなのだと思うけれど、日本の自然界の生態系にこの先どのような影響が出てくる

ゴミ袋を漁るアライグマ〉 東京都、2007年

〈ビルの谷間のアライグマ〉 東京都、2008年

のかを見ていかないといけない。

——そのほかの外来種では、小さいころに縁日でミドリガメを買ってもらった記憶があります。きれいな緑色でかわいかったので家で水槽に入れてしばらく飼ったと思うのですが、そのあとどうしたかは覚えていません……。多分死なせてしまったのか、近くの川に放したのかどちらかなのでしょうが。

あれはアメリカ産のミシシッピアカミミガメというもので、僕が子供のころはまったく売っていなかった。それが70年代には、縁日やペットショップなんかでよく売られるようになって、値段が安くて人気があったのですが、寿命が20年から30年と長く、エサもたくさん食べるし水槽の水もすぐに汚れて不衛生になることから、飼育が面倒で放してしまう人がたくさんいたみたいで、全国各地の河川や池に普通に生息するようになった。以前、名古屋城の堀にもたくさんいるのを見つけて撮影したことがあります。鎖国をすることになる江戸幕府の祖・徳川家康が築城した城なのに、外来のカメに取り囲まれて何とも皮肉な風景だなと思いましたよ。

——開国してから洋犬がたくさん入ってきましたが、日本からも動植物が海外に出て行くようになりました。開国のきっかけとなったペリー艦隊に

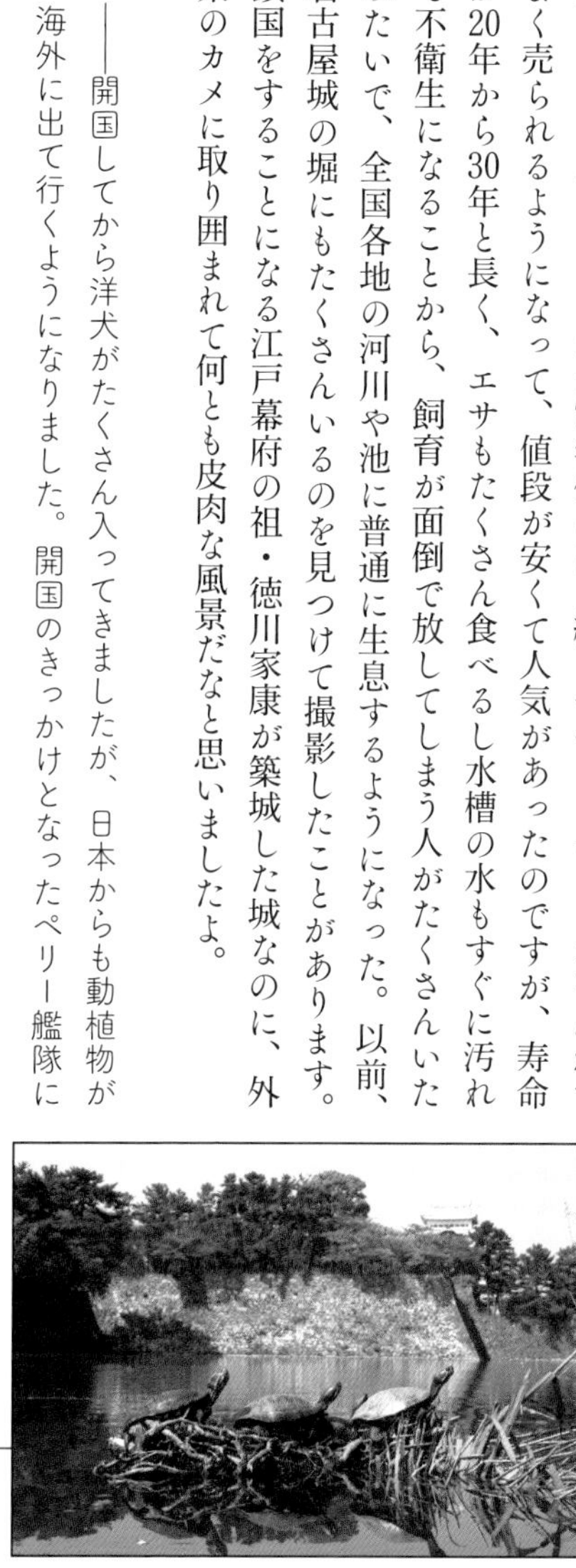

〈名古屋城とアカミミガメ〉愛知県、2005年

は、幕府から愛玩犬のチン（狆）が贈られて、アメリカ大統領やペリー提督のところで飼われたようで、『ペリー艦隊日本遠征記』（オフィス宮崎訳／万来舎／2009年）にも出てきますね。チンは、平安時代くらいから貴人たちに愛玩用に室内で飼われていた小型犬で、開国後に欧米でブームになってマネやルノワールの絵にも登場します。近代以降は、日本は洋犬一辺倒になったので、逆にヨーロッパで交配が盛んになるイヌです。

また、開国後に日本から出ていって爆発的に増えた植物のひとつにクズがあります。1876年にフィラデルフィア万博の際に会場装飾用として持ち込まれたのがきっかけとなって北米でポーチの飾りなどとして人気を博しましたが、その後も飼料用や土砂対策などのためにアメリカで継続的に輸入されたこともあり、今や湿潤な南部を中心に大繁殖してしまってコントロールが利かなくなっているようですね。

北米からの輸入材と一緒に入ってきたマツノザイセンチュウがマツを赤褐色に変色させて枯らしてしまう松枯れの原因になって日本各地で問題化しています。最初長崎で発見されたみたいですから、出島の貿易が原因じゃないかな。北米のマツとは違って日本のマツには抵抗力がないからあっという間に広がっていきました。

――日本に入ってきて爆発的に増えた外来種は何かあります

〈マツクイムシの跡〉長野県、2014年

か？

代表格は、北米原産のブラックバスでしょう。70年代のルアーフィッシングブームに乗って日本中に生息するようになってしまい、もう日本でブラックバスのいない都道府県はないぐらいになっているというのが現状。あちらこちらで駆除の対象になっているけれど、フィッシャーマンたちはこっそり放していくから、まさにイタチごっこでまったく成果があがらない。長野県を流れる天竜川などには既に全域に多数が生息してしまっていて、中には30〜40センチもあるような大物も目撃したことがあります。

——鎖国していた江戸時代には、日本の生き物たちは安泰だったのでしょうが、今や日本の在来種は外来種に生息域を脅かされ、厳しい生存競争に追い込まれているわけですね。

強い者が生き残り弱い者が淘汰されるのが自然の摂理ではあるので、種の絶滅というのもこれまで長い時間をかけて繰り返されてきたことではありますが、そうした自然の時間軸を超えて人間の営みが生態系に大きく影響を与えてしまっている部分が大きいと思います。国は在来種の生息を脅かしたり、農作物に被害を与える生き物を特定外来生物に指定し、規制や駆除の対象にするなど、対策が練られていますが、後手後手に回っている感がありますね。外来動物の駆除に反対している動物愛護団体があっても、どちらかというと生態系全体ではなく個別の個体の保護に重きを置いているように見えます。

彼らの論理は、その動物そのものの生命に責任はないのだからかわいそうだというものが大半。むしろ、そうした社会が悪いという考え方を軸に話を押しつけてくるのですが、ニュースなどで取り上げられると、その事例についてだけの意見を言って自分たちの手をいっさい汚さない。まして、身銭を切ってまで原因を究明していくようなこともせずに報道されるたびにその生命が「かわいそう」と言うだけ。

――人間の論理というのはかなり身勝手ですからね。例えば、オセアニア一帯で絶滅してしまったフクロオオカミ（タスマニアタイガー）などは、ウシやヒツジなどの家畜を襲うという理由で駆除されたり、人間が持ち込んだ大量のヒツジとの競争が起き、カンガルーやワラビーといった餌になる動物が減少したことによって数を減らしたと言われていますね。オーストラリアはヒツジのイメージがありますが、もともとは外来種だった動物がその土地のアイコンになっている。その意味ではヨーロッパからの移民こそが最大の外来種だったのですが。

先住民のアボリジニーは在来種ということになるね。

そういえば、房総半島にいる中国や台湾原産のキョンなんていうのも相当増えてしまっているみたいです。キョンは中型のイヌくらいの大きさのシカの仲間で、おとなしいこともあり一時期全国の多くの動物園でも飼育されていて、房総半島の行川アイランドという観光施設で園内に放し飼いにしていてふれあいサービスをしていたようです。観光施設から少し離れた近所の山を金網で囲って自由に行き来できるようにしていたのが、いつのまにか網の外にも出てしまい、施設が閉鎖した際も園外に出たキョンに対し捕獲などの手を打たなかったために今日のような大激増の事態を招いてしまいました。このことは、飼育者や施設運営者、行政が次にどのような環境汚染に繋がるのかまったくの認識不足だったことを端的に物語っている。

このキョンが利根川を渡るのは時間の問題で、そうなれば北関東や東北地方一円がまたたくまに生息域になるのは目に見えているけど、まったくと言っていいほど関心が示されていない。目の前で起こっている短い時間軸での現実だけに目を奪われて騒ぐだけでなく、将来の長期的な視点での手の打ち方というのが絶対に必要なのに。動物愛護ではなくて「愛誤」という字がふさわしいくらいです。自然環境をきちんと見届ける愛の目を見誤っている気がします。

――キョンについては、あまり報道もされないですから、ほとんど知られていないかもしれません。利根川が防壁になっていて今のところ房総半島だけですんでいるのでしょう。半島や島のような閉鎖生態系にいなかった動物が持ち込まれるのも国内外来種の問題だと思います。例えば、佐渡島ではサドノウサギが植林した苗木を食べてしまうので、困った林野庁が天敵となるテンを入れたところ食害は減ったのはいいのですが、サドノウサギが激減してレッドリストの準絶滅危惧種になってしまいました。

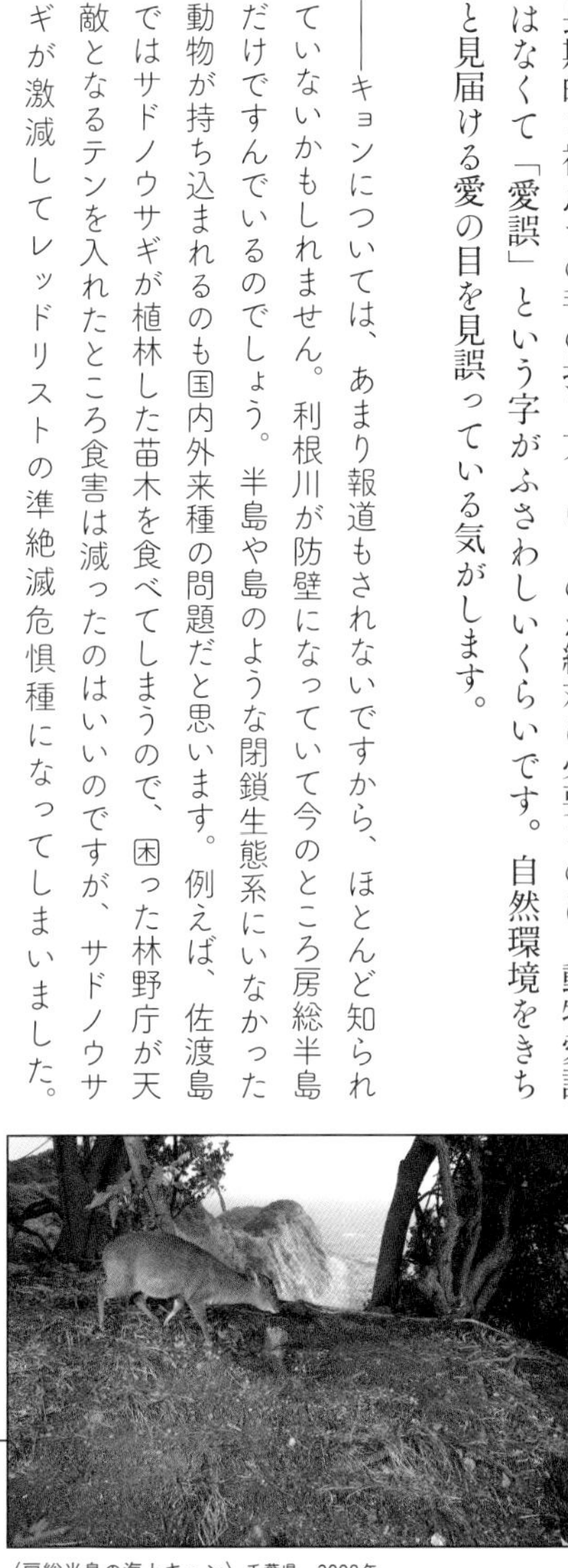

〈房総半島の海とキョン〉千葉県、2008年

2010年には、そのテンが佐渡トキ保護センターのケージに侵入して飼育中のトキを襲って9羽が死んだというニュースがありました。このトキは放鳥訓練中だったのですが、中国から提供された個体の日本へのナショナル化が図られたものなので、外来種ではないですが、日本では絶滅してしまった種がわざわざ輸入されたわけです。

沖縄でハブ対策のためにマングースを導入したら希少種のヤンバルクイナが捕食されて数を減らしてしまったという出来事も有名ですよね。

ところで、日本で野生化した外来種で僕らでも比較的簡単に見られるものはいますか？

鎌倉の鶴岡八幡宮や浜松市にある浜松城公園にいるリスは、タイワンリスです。在来種より若干大きく灰色がかっていて、決定的な違いはお腹が赤錆色でレンガのような栗色をしているのが特徴。ニホンリスはお腹が真っ白だから見分けられるはず。鎌倉のタイワンリスは大仏の近くでもけっこうチョロチョロしています。人に慣れているから観光客にエサをもらっては愛嬌をふりまいていて、30センチメートルくらいの距離でも撮影できたのには驚きました。1951年に江ノ島の観光

上〈マングース〉沖縄県、2006年
下〈ヤンバルクイナ〉沖縄県、2006年

施設から逃げだしたのがきっかけとなって、関東一円に勢力範囲を広げつつあるところです。

——古い史跡にたくさんいるのでニホンリスだと思うでしょうね。少し離れた住宅街でも見たことがあるので、あの一帯がまるでタイワンリス街のような感じになっているということなのだと思います。

１９３６年に躍進日本大博覧会というのが、岐阜市で開催されたのですが、そのときに台湾から持ち込まれたタイワンリスが、同じように岐阜城のある金華山で野生化していて、子供のころに見た記憶があります。野生化したものの一部を捕獲して飼育している観光施設というのもできています。博覧会は植民地の人間を含めた動物を展示することで統治の成果や帝国主義国の威容を示す役割を果たしてきましたから、外来種が入ってくる大きなきっかけのひとつになっていたのでしょう。

浜松城公園のタイワンリスは、公園内に動物園があってそれが逃げだしたものみたいですが、現在でも一部の市民が積極的に餌を与え続けているので、かなり増えてしまっています。地元の「餌やりおじさん」と話をしたら、「このリスは東名高速道路を越すことができないから大丈夫、ここに留まるはずだ」と話していたけれど、動物というものはわれわれが考えている以上に三次元での思いがけない動き方をするから、電線や街路樹づたいにどんどん生息範囲を広めていくはずです。やがて南アルプス山麓に行き着くのではないのかと現地の地形から想像していますが、そのときは在来のニホンリスとどのような攻防戦を繰り広げるのか、あるいは交雑種ができてしまうのかを半世紀後に見届けてみたいけれど、僕には無理だろうな。

——しかし、タイワンリスの寿命からすれば、もう何世代も日本で生まれ育ってきたのだから、将来的に日本の野生動物ということになる可能性もありえますよね。日本のタイワンリスもそろそろ「帰化タイワンリス」とか「日系タイワンリス」と呼んでもいいのかもしれない。

リスは愛嬌があるからチヤホヤされているけど、南米原産のヌートリアなんて猫くらいの大きさのドブネズミだから、知らない人が見たらギョッとするだろうね。警戒心が強く注意しないとなかなか見つけられない動物で、僕は岐阜県の木曽川で初めて野生化しているものを見つけましたが、土手にいくつもトンネルの巣を掘って、岸辺に生えた植物を食べたり、畑から作物を拝借したりしてたくましく生息していました。日本には水辺で生活する草食動物がほとんどいないから、そうしたニッチ（その生物が生息する環境で果たす生態的な地位）にうまく入り込んでいるのでしょう。

——既存の生物がしっかりと地位を確立している森林などでは、ニッチに

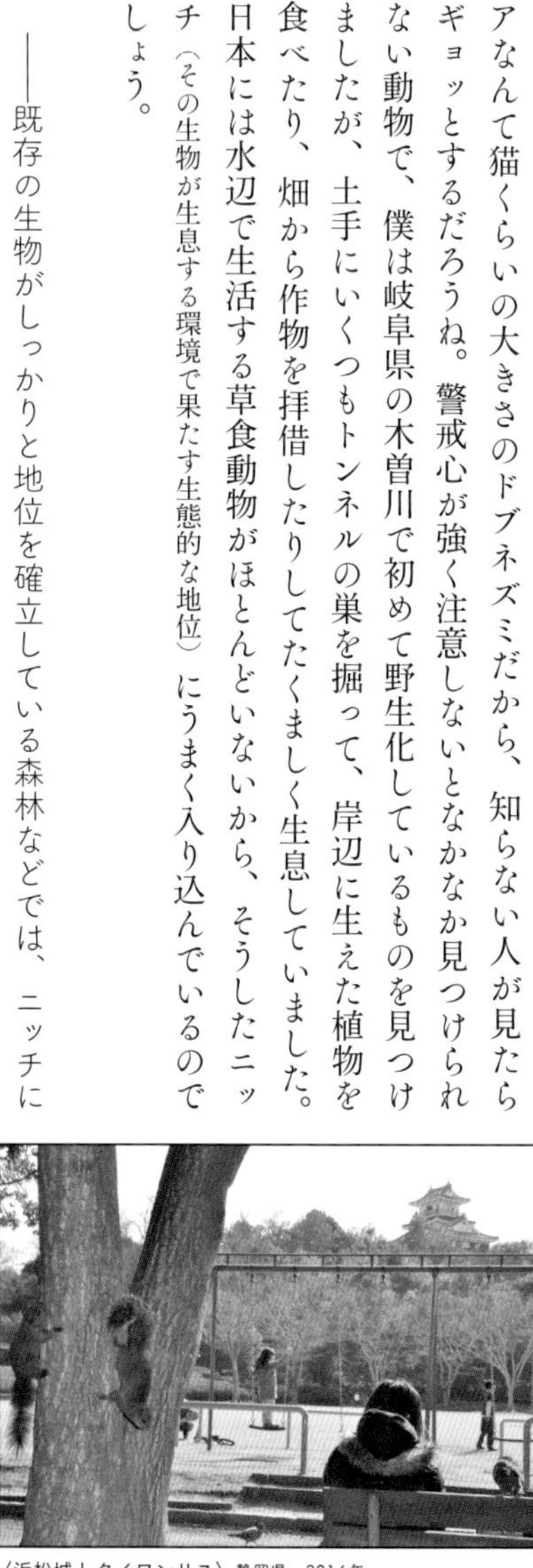

〈浜松城とタイワンリス〉静岡県、2014年

〈タイワンリス〉静岡県、2014年

〈ヌートリア〉岐阜県、2011年

空きがなく外来動物も簡単に入ってこられない傾向がありますが、例えば、高速道路沿いに勢力を広げている北米原産のセイタカアワダチソウのように新しく切り開かれた空き地のようなところにどんどん侵出していく種も多いと思います。セイタカアワダチソウは、帰化植物に入るようですが、クズのようにもといた環境よりも持ち込まれた先のほうが繁殖に適していたり、天敵がいなかったりして爆発的に増える例もあるのでしょうね。

先ほどのヌートリアの場合は、どうやって日本に入ってきたのですか?

戦中に寒冷地向けの軍需品製産目的などで輸入されたようですが、終戦で需要がなくなって、戦後にまた毛皮ブームが起こって増えてしまったみたい。養殖が盛んだった東海・近畿・中国地方では大変な数が野生化して、どんどん生息域を広げているのが現状。以前、鹿児島の知覧特攻平和会館に行ったときにパイロットたちの遺影をたくさん見たことがありますが、彼らがヌートリアのような外来種の毛皮を身につけて写っていたのが印象的でした。軽量化を突き詰めた零戦は、すきま風だらけだったみたいですから防寒着として毛皮が必要だったのでしょう。そういうふうに人間の都合、国家の都合で連れてきた動物だからあまり外来種といっていじめてもかわいそうかなとも思います。

——まるで動物ではなく人間についての話のように聞こえますけど。彼らはもといた場所に帰ることもできずに、強制的に連れてこられた異国の地で根を張ってたくましく生きていこうとしているだけなのですからね。植民者の襲来という意味では、大航海時代にスペイン人の持ち込んだ病気に免疫がなかったインディオがたくさん命を落としたという歴史がありますね。外来種問題というのは、人間の広範囲への移動や経済活動がきっかけになっていますから経済戦争とグローバリズムの時代になって、外来種と呼ばれるものの入ってくる間口は、さらに広くなっています。

ただ、どこからが外来種でどこからが在来種かという線引きは、かなり恣意的ではないでしょうか。「史前帰化植物」という言い方がありますが、紀元前に大陸方面から入ってきたといわれているコメを外来種だと言う日本人はほとんどいません。タイ米を「外米」と呼んだりするけれど。

もとはといえば、コメもトマトもサツマイモもみんな外来種。クマネズミだって大陸や朝鮮半島から人間と一緒に渡ってきたと言われている。どこからの期間を対象にするかで在来か外来かは、変わってきてしまう。1993年の米不足のときには、「平成の米騒動」といわれるほどの騒ぎになりましたね。そういうふうに外来種に拒否反応を示す人はいるかもしれないけれど、多くが感情的な線引きだろうね。そもそも日本人だって大陸系や南方系、北方系などと色々混ざっているのですから。

――宮崎さんが生まれ育った中川村（長野県上伊那郡）はいわゆる典型的な里山で、近年は過疎化がどんどん進んでいるという。最近この村ではノラネコならぬ「ノラ竹やぶ」が増えている。宮崎さんいわく、管理を放棄された竹やぶのことらしい。中川村にある「ノラ竹やぶ」の中に入ってみることにした。

ノラ竹やぶ【のらたけやぶ】

ほら、途中まで育ったところで枯れてしまっている竹がけっこうあるでしょう。なぜだろうと不思議に思って雪が融けた春先に無人カメラを仕掛けてみたんです。まず驚いたのは、タケノコが伸びるのが早過ぎて、それに無人カメラが反応したこと。しばらくカメラを放置しておいたらニホンザルがタケノコの先を掴んだ瞬間が撮れました。30センチくらいのタケノコが根元からポキンと折られて、そのまま持ち去られたみたいだったね。

サル以外にも、一番柔らかくておいしい先の部分だけ折って持っていったり、その場でかじってしまう動物たちがいるようで、このあたりもイノシシの足跡だらけ。人の気配のなくなった竹やぶは、春は動物たちの格好の餌場になっています。彼らは土の中のおいしい匂いを嗅ぎつけるといち早くやって来て上手に掘っていくから、僕はいつもタケノコ掘りの競争に負けてしまって悔しい思いばかりをしています。地上に頭が出てきてからでは、遅いんだよね。

タケはマダケとかモウソウチクとか色々あり、もともと家の軒先に植えられていました。だけど家がなくなったあとは「ノラ竹やぶ」になってしまって、もはや伸び放題。

ニホンザルがかじったタケノコ　長野県、2014年

タケノコに飛びかかるニホンザル　長野県、2014年

タケは古くから日本人の生活圏の近くで栽培され、生活や文化に根づいてきた植物です。「竹取物語」の翁のように近くの竹やぶに入って定期的に建材や家具、日用品として利用したり、タケノコを採ったりと、増え過ぎないようにコントロールしていたのでしょうが、過疎化が進んで人家が少なくなってからは、荒れたノラ竹やぶをよく見かけるようになりました。

10年ほど前に高知県の過疎集落で目撃した竹やぶは、空き家となった人家を取り囲むように生い茂って、そのままはるか高い山の尾根付近まで広がっていました。その光景を見て、タケの勢いにびっくりしましたが、注意してみると九州や西日本、北陸、東海地方でこうしたノラ竹やぶはどんどん拡大していて、山野を侵食していっている様子をけっこう見かけます。動物がどんなにタケノコを食べても、食べきれないし成長も早いしで、増え続けていくのです。

これから里山でこういう風景が増えていくのではないでしょうか。人間の手が入ることで里山の風景というのは維持されてきたけれど、今は自然の勢いのほうがずいぶんと勝っているのですね。

第4章
人間の傍で

シナントロープたちの事件簿

——墓掃除に来ていた人や山菜採りの人がツキノワグマに襲われるという事件があとを絶たない。近年はそうしたニュースを頻繁に耳にするようになった気がする。その原因は一体どこにあるのだろうか？　ワイドショーでは、専門家と称する人が「今年は気候の影響で山に餌となるドングリが少なくて」などという説明を事件の度に繰り返しているが、宮崎さんはこれには異論があるという。人里に現れる「イマドキの野生動物」の実態を見るためにクマが出没したことがあるという墓に行ってみることにした。家主に断って敷地内に入らせてもらうと目的の墓が民家から120メートルほど離れた場所にぽつんと建っていた。街中とは違うものの、人の気配がまったくしない場所というわけではない。

墓のお供え物が毎度盗まれるのでここの家主から見に来てほしいと頼まれて調べてみたのですが、僕は、まわりの環境を見てすぐにピンときました。ほら、墓の近くの草むらにけもの道ができていて、下の森に繋がっているでしょう。山から森や茂み伝いにこのすぐ下を流れている川のところまで来て、そこからこの墓のところに登ってきたんだろうね。高い場所から見ると分かるけれど、野生動物たちにとって山からここまではひと続きになっている。早速墓に向けて無人カメラを仕掛けてみたら、お供え泥棒の犯人のクマとサルがばっちり写ってくれた。

――こんな民家の近くにクマですか。どれくらいの頻度で来ていたのですか?

たった1週間でクマが3頭。それからニホンザルも。このサルなんて墓参りしている人間みたいでしょう（笑）。ここの墓は家の近くにあるということもあってしょっちゅうおいしい果物が補充されるので、彼らにとってはいい餌場のひとつとしてマークされていると思います。わざわざ餌を探したり木に登らなくてもいいから楽ちんだしね。バナナなんてこの辺には自生してない果物は、彼らにとっては珍しいごちそうかもしれない。ほとんど餌をやっていたのと同じなんだよ。

――ご先祖様に供えたつもりが、動物たちに横取りされていたと。人間の場合は、お墓からお供え物を取るのに心理的な抵抗があるでしょうが、動物たちにとっては、まったく関係ないですからね。

やりたい放題ですよ。デジタルカメラの撮影記録を見てみると、早ければ夜の7時ごろにはクマが出没していて、8時、10時、12時、朝の4時と色々な時間帯にやって来ています。この家は農家で、ミニチュアダックスとヨークシャーテリア、それに、メスの柴犬とオスの日本犬系雑種の4頭を飼っているから、彼らが色々と吠えて教えてくれるようです。例えば、ミニチュアダックスとヨークシャーテリアがタッグを組んで啼くときは、タヌキかキツネが来ているとき。柴犬と雑種が猛烈に啼くときは、イノシシとクマ。そして、柴犬が啼きながら藪に突っ込んでいけば、イノシシ。クマの場合には、啼いているだけで絶対に藪には突っ込んでいかないというのが、これまでの経験からの結果のようです。驚いたのは、無人カメラを設置した1週間で、イヌたちが啼いたという時間帯と無人カメラに動物が写った時間がぴたりと重なり合っていたこと。ここでは、夜になるとイヌたちのリードを解いて放し飼いにしているみたいですが、僕もそれが一番の対策だと思います。今は繋がれていたり、飼っていても室内犬だったりするから、対野生動物のための番犬という意味では、あまり意味はなくなっています。幸いここでは、イヌたちが活躍しているようで、今のところはお供え物以外大きな被害はないみたいですが、住人がクマとニアミスしていることだけは確かだろうね。運悪くクマと鉢合わせたらここのお墓に入るなんてことになりかねないよ。

ちなみにこのあたりは、ほかにもけっこうクマが出没していて、すぐ近くの養魚場にもちょくちょく出るみたいだから、行ってみましょうか。

〈お供え泥棒のニホンザル〉長野県、2010年

〈お供え泥棒のツキノワグマ〉長野県、2010年

――ホテルとかペンションがすぐ近くにあって、観光地のど真ん中という感じですね。クマが出没すると聞き、もっと山の中にポツンとあるのだろうと思っていたので意外でした。

この施設ができてから50年以上になるらしいけど、15年ほど前からクマが頻繁に現れるようになって困っているみたい。どんな奴が来ているのかと思って、無人カメラを設置してみたら、電気柵をくぐり抜けてきたクマがコンクリートの生け簀の縁を歩いてきて、養殖池にガバッと手を突っ込んでみたり、弱ったニジマスを持っていったりする様子が写った。それも1頭だけでなく何頭もね。魚が狭い1箇所に密集しているからクマにとっては獲り放題の金魚すくい状態なのよ。池に飛び込んじゃったりもしてるしね。こういう場所では、もし蹄のある動物が近寄って来たらコンコンと蹄の振動がするから魚も逃げることができますが、分厚い肉球で覆われた柔らかなクマの手足は、スポンジみたいになっていてツメを上に上げて守りながら無音で歩くから、魚たちはいつの間にか獲られてしまう。だから忍び足をする必要のない植物食の動物は、足が蹄になっていて、狩りをする肉食動物には、消音効果のある肉球のクッションがあるってわけです。以前、川の砂防堰堤で溯上に苦戦している魚をコンクリートの上で待ち伏せしているヒグマを北海道で撮ったこともありますよ。彼らは図体の割に大きな音をさせない優秀なハンターで、人工物

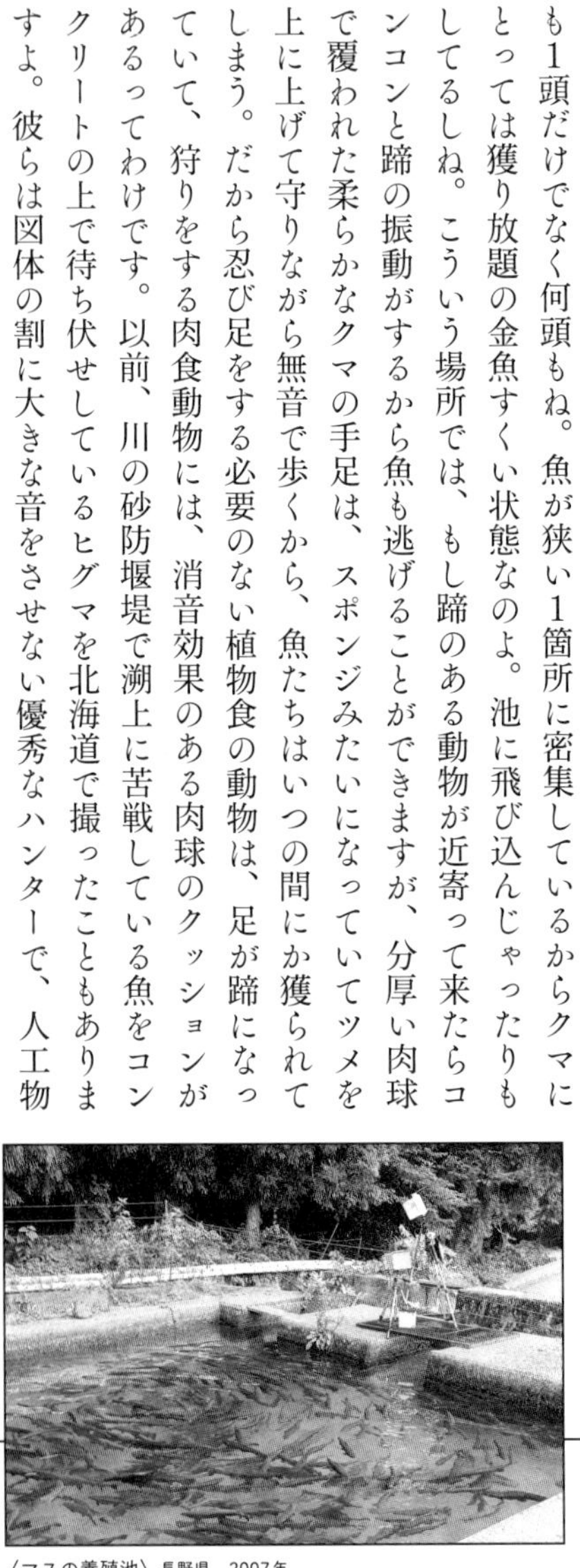

〈マスの養殖池〉長野県、2007年

もうまく使って餌を得ている。

——人間がクマの存在に気がつかない要因のひとつにそうした消音効果を備えた手足があるのでしょうね。動物たちはコンクリートの構造物を含めた全てを所与の自然環境として受容し利用しているのでしょう。彼らの庭の中に餌場や餌を得るのに便利な構造物を作って呼び込んでいるようなものかもしれません。

そうした構造物は、最近の動物たちにとっては、生まれたときから当たり前のようにあるものです。だから人工物や人間の出す音や光のことをまったく怖れない世代が確実に出てきていると考えたほうがいい。騒がしい高速道路の真横にあるクルミの木に登ってのんびりとエサを食べているくらいだから。その証拠にクマが樹上で餌を食べながら折り取った枝を座布団状に敷き詰めた「クマ棚」が高速道路方面にたくさんできています。

以前、残飯を食べているクマを車の屋根につけた大型ストロボの光を浴びせながら近距離で撮影したことがありますが、僕がいるのに気づいていながらもシャッターやモータードライブの音にも全然動じなかった。これほどまでに大胆な行動をとるくらい動物たちが変化しているのに人間のほうが昔のままの意識ではないでしょうか。クマ対策に笛や鈴の音やラジオがいいとか未だに言われていますが、車の騒音にさえ恐れを抱

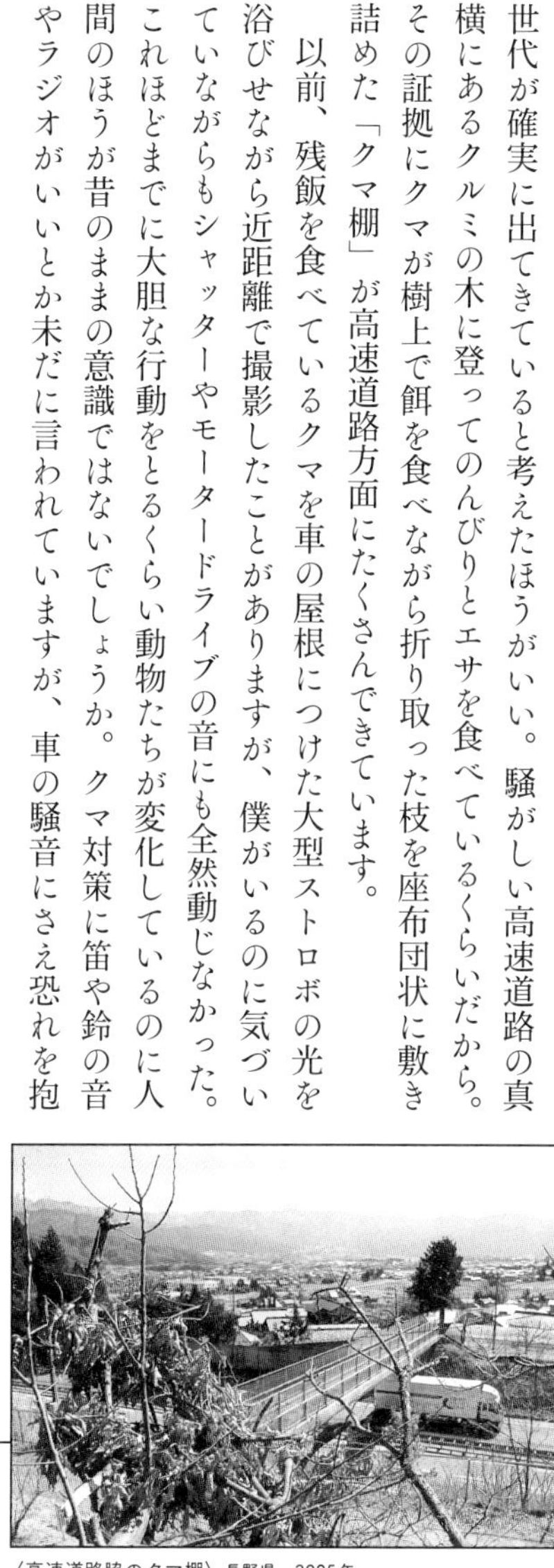

〈高速道路脇のクマ棚〉長野県、2005年

〈養殖池のへりでヨダレを垂らすツキノワグマ〉長野県、2016年

〈養殖池でテスト撮影をする宮崎〉長野県、2016年

〈養魚場で弱ったマスを拾うツキノワグマ〉長野県、2006年

〈アユ池から上がってきたツキノワグマ〉長野県、2014年

かない新世代のクマには何の効き目もないのですよ。

――動物たちが人間世界に順応しているのに、私たちの認識が時代に追いつけていないということですね。

そう。この養魚場のすぐ隣にホテルがあるのですが、そこのおばちゃんが頻繁に生ゴミを裏の空地に捨てています。周辺を見てみたら案の定動物の足跡がたくさんついていた。そのうちあのおばちゃんがクマに襲われないか心配してるのですが、そういうふうに地元でも「まさかクマが」という感じの人が多いのが現状です。

――繰り返し同じ場所に捨てられることで、動物たちにはだんだん餌場として定着してしまうのですね。見えない＝存在しない、という短絡になってしまうのでしょう。あるいは見えているのにそれが動物の痕跡だということに気がつかない。僕もそうですけど、普通の現代人はそういう動物の痕跡って、自分の生活と関係のない意識の外側にあるものだと思っていますよ。小さいころのほうがまだ身のまわりの動物に関心があったかもしれません。猟師や獣害に困っている農家とかはまた別なのかもしれませんが。

実は農家の人たちも動物への餌やりにかなり貢献してるんだよね。形が悪かったり傷ついたり作り過ぎた作物を廃棄したつもりが、動物たちにとっては、食べ放題のビュッフェ状態になっているなんてことがざらにある。以前、大型トラック2、3台分ぐらいのリンゴが山の中に廃棄されているのを見つけてカメラを仕掛けたら、サルの群れをはじめハクビシン、タヌキ、テン、スズメバチ、ハエ、そしてリンゴにわいた虫を食べに小鳥が来ていました。日本では傷があったり形が悪いだけで売れなくなってしまうけど、彼らにとっては、そんなの関係ないから。穴の中は、発酵しかけの香ばしい匂いでいっぱいでした。だから全国各地にこうしたごちそうの山が作られていることになる。廃棄リンゴを拾いにきていたサルの親子は、おいしい部分だけをかじっては捨てていましたが、そのうち捨てられているものより、木になっている商品用のほうがおいしいことに気づいてリンゴ園への侵入が習慣化してしまうことに繋がるんじゃないかな。廃棄スイカに群がるイノシシ家族を撮ったこともありますが、そういう親の行動を当たり前のものとして子供は受け入れていく。

――そのあたりは人間の親子と同じですね。農作物を食べることが、ある種の文化のように餌を得る方法として親子や群全体の中で共有されていく。廃棄物はゴミだから盗られても怒る人は誰もいないけれど、人間にとってはゴミでも動物の立場からしたら立派な餌なわけですから。餌探しに多くの時間を費やしている動物にとっては、決まった場所に定期的においしい餌が補充されるというのは、うれしい限りだと思います。

苦労して広い山の中で探さなくても畑やゴミ捨て場に来れば腹一杯食べられてしまうわけだからね。農地にイヌもいないから大した危険もないし。彼らにとっては、天国でしょうね。注意しなければいけないのは、こうした農地の廃棄物だけでなく、畑や果樹園という農地の存在が既に広義の餌付けになっているということ。だから動物たちにとっては、便利な無料ビュッフェを人間たちがそこら中に作ってくれていることになる。

——山で自生しているものよりもおいしくて大ぶりな作物が生息域近くに1箇所にまとまってあるわけですから、動物が寄って来るのは当然ですよね。われわれがしているのは、電気柵で一生懸命獣害対策しながらも、その一方で彼らを積極的におびき寄せ、農作物の味を教え込むという矛盾した行為なのかもしれません。

僕は昔から人間の生産活動も全部をひっくるめて広義の餌付けだと主張し続けているのですが、残念ながらあまり分かってもらえません。多くの人が手から直接餌を与えることだけが餌付けだと思っているようだけど、そうした行為だけでなく、人間の作る環境自体が無意識のうちに間接的な餌付けになっていることを認識しないといけない。麦畑で若芽を失敬しているサルなんかも撮ったことがありますが、こういう写真を見ていると、農業被害を嘆く前にまずは人間の側の意識改革が必要なのではないと思います。例えば、サクラが植わった公園では、餌になるたくさんのサクランボができますし、噴水の水も年中枯れない水場になっている。

〈廃棄ミカンに群がるイノシシ親子〉三重県、2010年

〈麦を食べるニホンザル〉長野県、2015年

――そういえば、公園では必ずハトやコイなんかが人間から餌を得ていますね。そのハトを狙った猛禽類が都市で増えているということもあるみたいですし。

「餌やりおじさん・おばさん」は世界中どこにでもいるよね。あとは沖で魚を船に引き上げる際にもカモメなどの海鳥がおこぼれを狙ってやって来たり港で待ち伏せているやつもいる。間伐した朽木にだって餌になる昆虫がどんどんわくから、定期的に餌にありつける場所になっています。養蜂なんかもクマをおびき寄せるしね。動物たちの行動圏内にあるキャンプ場や行楽地も格好の餌場です。バーベキューやその残飯などは雑食のクマやタヌキにとっては魅力的な匂いを発しているはず。ゴミ袋は彼らにとってはめくるめくご馳走袋なのだと思います。キャンプ場近くの藪の中には、クマがゴミ袋を持っていって座って食事をした広場やそこに続くけもの道ができあがっていることもありました。

80年代にカナダのロッキー山脈に取材に行ったことがあるのですが、そのときに驚いたのは、コンクリートの土台つきのゴミ箱。ヒグマの力をもってしても倒せないような頑丈なもので蓋を上に持ち上げないと開かない仕組みになっていて、動物にゴミの味を覚えさせないように設計されていた。

――日本のゴミ箱は、以前は観光地でもカゴの形が多かったですからね。公園や緑地までもがある種の二次的な自然として動物たちに餌や水場を供給しているというのは、これまであまり意識していませんでした。行楽地で観光客が動物たちに餌をあげていたりすることや、弁当やお菓子の食べ残しなどは、餌付けの図として分かりやすいですが、それだけではないのですね。日光では、人に慣れ過ぎたサルが観光客に危害を加え始めたので、栃木県の条例で餌付けが禁止になっているようですね。

駒ヶ根もかなりサルが増えていて問題化しています。僕の家の庭にも平気で入ってくる。だから玄関のドアを開けていきなり動物と鉢合わせないように動物を感知するとブザーやライトが作動するセンサーをはじめとした防犯機器が仕掛けてあります。山から匂いに誘われてやって来た彼らは、人間の動きをじっと観察して効率的に餌を得る方法を熟知していて、どこまでが危険でないかというリスクを計っているんだと思います。今や飼いイヌ用のドッグフードなんかも狙われる始末だから。動物だからと決して甘く見てはいけないんだよ。動物たちは人間ほど鈍感な動物はいないと思っているのだからね。

——動物の目で環境を見ると人間のまわりというのは、願ってもない餌場だらけということになるのでしょう。人間は、せっかく手にした多くの食べ物を捨ててしまう例外的な動物で、食料として生産されたものの半分近くが全世界でゴミとして廃棄されているという試算もあります。もちろん

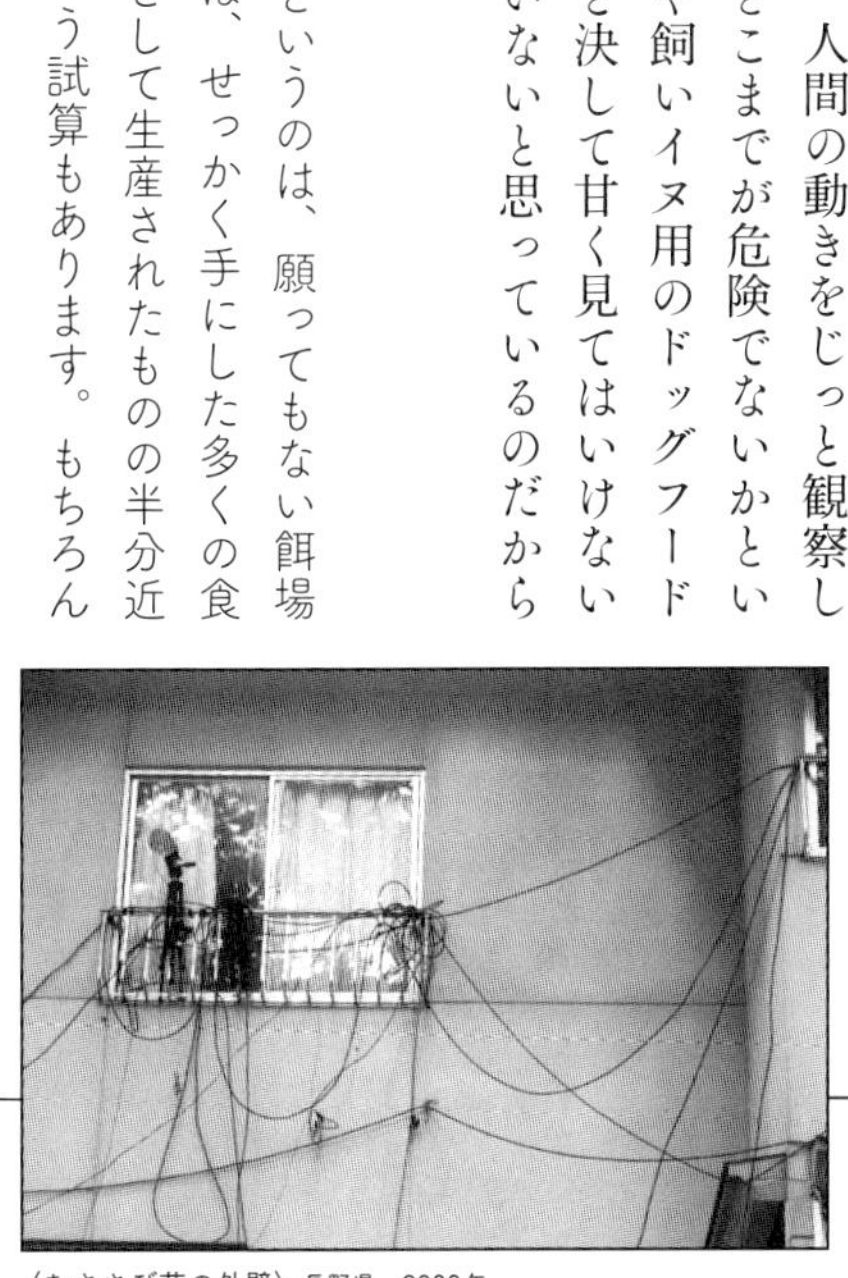

〈むささび荘の外壁〉長野県、2000年

〈コンポストにやって来たキツネ〉長野県、2009年

〈人家の庭にやって来たエゾシカ〉北海道、2007年

〈毛ガニをつつくカモメ〉北海道、1993年

〈ハイキングコースのイノシシ〉兵庫県、1999年

それは、先進国と呼ばれる場所に偏ってはいるのですが。

動物の眼になって、動物の耳になって、動物の鼻になって動物と同じように感じようとすれば、人の感覚では気づかないような手掛かりに出会えます。嗅覚の優れた動物は、僕らには見えないものが匂いを通して見えていて、おそらく「匂いの地図」のようなものをたどって来ているのではないかな。現代人は、あまりにも人間中心に社会や環境を作ってきたけれど、その周辺には必ず色々な動物たちがうごめいていることを忘れてはいけない。

——視覚偏重の傾向が強い人間と嗅覚やそのほかの感覚が鋭い動物とは認識している方法も世界も全然違うのだろうと思います。ヤーコプ・フォン・ユクスキュルが「環世界」と呼んだような、それぞれの生物がその種特有の知覚世界を構築しているということなのでしょうが、人間はそれを直接経験できないので想像するしかない。宮崎さんの写真は、そういう生物独自の世界だけでなく、カメラという機械の「環世界」みたいなものまで見せてくれます。

人間社会と近いところで生息する動物のことを「シナントロープ」と呼びます。ギリシア語で「ともに」を意味する「syn」と人間を意味する「anthrôpos」が組み合わさった言葉で、人間の活動や人工物の恩恵を受けて共生している生き物のことです。彼らは人間がいなくなったら困る動物たちで、例えば、ヒバリは畑にいると同化する色の鳥ですが、人間が田畑を耕したあとの昆虫や穀類をよく食べているし、ハタネズミなんかも名前の通り畑や土手に巣を作っている。

　しかし、これだけ人間と動物たちの距離が縮まってくると、もはやそこらじゅうシナントロープだらけになってしまっている気がするな。本来のシナントロープだけでなく、警戒心の強い動物も含めてあらゆる動物がシナントロープ化している。これが「獣害」と呼ばれる問題の原因のひとつでしょう。だから決して動物ばかりが一方的に悪いわけではないのですよ。

——日本各地の田んぼが渡り鳥たちのオアシスになっているという。ただの水場という意味ではなく、季節を通しての格好の餌場として機能しているらしい。一体どういうことなのだろうか？

田んぼと渡り鳥【たんぼとわたりどり】

以前、沖縄県の金武(きん)町にある田んぼでセイタカシギという野鳥が来ていたので撮影したことがあるんだけど、それは面白い光景だった。

田んぼのセイタカシギ　沖縄県、2006年

セイタカシギは、越冬のため北半球から暖かい沖縄などにやって来る渡り鳥です。この田んぼでは、タイモ（田芋）という沖縄の伝統食材になっているイモの栽培をしていて、そこにセイタカシギが来ていた。タイモは、田んぼの中で次々と小芋を増やすことから、子孫繁栄を意味する縁起物として沖縄の行事料理では欠かせない食べ物です。コメを育てている場合も同じですが、田んぼにはミミズや昆虫といった水棲生物がたくさんいるから、沖縄で越冬する渡り鳥たちにとっては、最高のレストランになる。

沖縄に来た渡り鳥たちは、さらに温暖な南のインドネシアやフィリピンへ向かい、東アジア全域の田んぼを、文字通り渡り歩いている。つまり、稲作というのは、渡り鳥にしてみても、必要不可欠な人間の文化となっているのです。

彼らは、山岳地域の棚田や平野の田んぼ、畑、用水路などを利用して餌を得ます。彼らの餌

畑のトラクターとシラサギ　沖縄県、2010年

は、農業では害虫とされる昆虫であることも多いので、人間にとっても有り難い存在となります。

田んぼにカモを放鳥して害虫や草を食べてもらい農薬散布を行わずに農業を行う「あいがも農法」も有名ですね。人間と鳥類の相互扶助とまでは言わないけれど、カモが水かきのある大きな足で水深の浅い田んぼを歩いたり泳いだりして水や泥をかき混ぜることによって土壌も活性化する。あいがも農法のカモたちは、収穫が終わると大抵は鴨肉にされてしまうので、人間と「ウィン・ウィン」の関係とは言い難いのですが。しかし、田んぼに入ったカモというのは、身が締まっておいしいです。

別の沖縄の田んぼでも人間の活動を利用する鳥たちの姿を撮影したことがあります。稲刈りを迎えた秋の田んぼに鈴なりの鳥たちがぞろぞろとトラクターの後ろについて歩いて、掘り返された土から出てくる虫やミミズたちを拾っていました。運転手は、いつものこととあまり気にしていないようでした。このように鳥たちも実は人間たちを利用して共生しているのです。

――東京の繁華街には、たくさんの野生動物たちが生息しているという。人通りの多い渋谷のハチ公前にも数年前に宮崎さんが撮影したというドブネズミがすみかを作っている。ここで待ち合わせている人たちは、すぐ足元にネズミがチョロチョロしていることにまったく気づいていないのだろう。ネズミの名は「不寝見（ねずみ）」に由来していると言われるほど、彼らは夜、活発に動いているのだ。

渋谷のネズミ【しぶやのねずみ】

渋谷のネズミたちはまだ健在みたいですね。植え込みの下をよく探してみると子供のこぶし大の穴を見つけられますが、実はこれがネズミの巣です。この感じだとうじゃうじゃいるはずですが、体は小さくて灰色だし、動きが速くて物陰から物陰にサッと移動するからあまり目立たない。

渋谷は人が多いけれど、その分生ゴミもたくさん出るから彼らにとっては餌の宝庫になっているみたいです。自動販売機の下やビルのコンクリートの割れ目、歩道との段差を埋めるために敷いてある鉄板あたりに身を隠しながら上手に移動しています。人間がいる場所は暖かいだろうし、冬の寒さもしのぎやすいんじゃないかな。どの店とは言えないけれど、ある料理屋の厨房にもたくさんネズミがいたので、撮影して見せたら店の人は驚いていましたね。飲食店などではネズミと聞いただけでかなりナーバスになるから、お店が特定できないようなアングルしか撮れなかったので、けっこう難しかった。

実は最初に渋谷のネズミの存在に気づいたのは、駅のハチ公

ドブネズミの巣穴　東京都、2007年

ドブネズミ　東京都、2007年

口を降りたときにネズミ特有のおしっこの匂いがしたからです。それで周辺を探してみると、植え込みの中に踏み固められている場所がありました。それをたどってみたら、穴に続いていたのです。ネズミ対策で土の中にステンレスの網を埋め込まれている場所もあるようだけど、植物の根が張ってしまって、それはそれで植え替えが大変だと思います。こういう人間と動物の攻防も面白いところですね。そういう環境の変化によって増えたり減ったりしながらも、ネズミたちは代々この場所で暮らしてきたのでしょう。今ごろ穴の中で僕らの話を聞いているんじゃないですか。

都会ではコンクリートばかりの無機質な街になるのを避けるために緑化してきれいに見せようと試みているけれど、その場所がネズミの温床になっているとは何とも皮肉な事態ですね。

収集所に出されたゴミ袋を見てみてください。あちこち小さな穴がありますが、これは自然

植え込みと若者　東京都、2013年

に破れたわけじゃなくて、ほとんどがネズミたちの侵入口です。蹴っ飛ばすと、たまにあわててチューチューと出てきますよ。植え込みの近くのゴミ収集所なんていうのは、ネズミたちにとっては家の軒先まで定期的にエサを運んでくれるようなもので、最高の住環境だと思います。巣からちょっと出てすぐに帰ってこられるから危険も少ないですしね。

以前、同じように新宿でもネズミを撮影しましたが、そこでも歩道沿いの植え込みをうまく使って、人間に見つからないように長い距離を移動していました。渋谷も新宿もかつてはもっと汚くて、いたるところにゴミが落ちていたから、僕もゲリラ的に動物たちを撮影することができましたが、今はこういう人ごみでは撮影しにく

ドブネズミ　東京都、2007年

ドブネズミ　東京都、2007年

くなりました。ネズミの目線で撮影しようとすると、どうしてもカメラを地上に置いてローアングルで狙うから、スカートの中を盗撮してるんじゃないかと誤解されてやっかいなことになるのです（笑）。ネズミの撮影よりも都会の人対策のほうに気を遣ったりして。その都度「ネズミを撮影しているんですよ」と説明しますが、こんな外見もあってか、怪しまれてしまって大変で……。

　もっとも、ネズミというのは人間社会に寄生虫のように密着して生きている動物ですから、昔から人のいるところに必ずネズミありなのですよ。どんなに駆除しても必ずどこかで生き延びて増える機会を待っているから、永久にお隣さん。しかも、油断すると人類にとってもやっかいなペストなどの病原菌の媒介者にもなる。もう長いつき合いなのだから、忌み嫌う前に身近な彼らの生態をまずは理解したほうがいいですね。

ドブネズミ　東京都、2007年

――奈良公園に行くと、園内を堂々と闊歩するニホンジカをたくさん目にする。園内にある春日大社の神の使いとして奈良のシカは駆除が禁止され、殺したり傷つけたりした場合は、死罪を含めた重罰が科せられた歴史がある。1957年には「奈良のシカ」が国の天然記念物にも指定され、保護されているが、動物と人間との共生にはさまざまな課題があったようだ。

シカたちの楽園【しかたちのらくえん】

奈良公園一帯には1200頭あまりのシカがいるみたいだね。ここのシカは、「神鹿（しんろく）」とされていて、ほかのシカよりも「偉い」ってことになる。今の日本人が食べているのは飼育された家畜の牛肉や豚肉、鶏肉ばかりですけど、シカは昔から狩りや罠で捕まえて食料にしてきた野生動物。人間に狙われ続けてきた歴史があるから本来は警戒心が強い動物ですが、ここのシカは、信仰の対象として長らく保護されていたことで警戒心が薄くなり、人間を見れば鹿せんべいをおねだりしたり、強奪したりする。もはやすっかり人間に慣れているのでしょうね。南アルプスのシカは今も遠くに人影を見るだけですっとんで逃げていくのに、同じ動物でも生きてきた環境によってこれほど性質が変わってきてしまうのは、面白い。明治政府が有害獣として駆除を許可したり、戦中は食べられたりして一時的に減ったようですが、ほとんどの時代は楽園状態だったと思います。

人間が自分たちに危害を加えないと悟ったシカたちは、どんどん大胆になってきて、観光客をけがさせる恐れもある。気性が荒くなる発情期に先立ってオ

ニホンジカと観光客　奈良県、2017年

スの角切りも必要です。

ゴミ箱を漁るシカがビニールなどを食べて死ぬケースが多発したことから、今では奈良公園にはほとんどゴミ箱がなくなりましたが、1990年に行ったときには、まだゴミ箱があって、シカに荒らされていました。ゴミを入れる口を高くしたりして対策をしても賢いシカたちは回収用の大きなコンテナに目をつけて観光客の残していった食べ物を探していました。当時は、「週末の混雑のあとは食べられるものが多い」とシカたちも学習していて、もしかしたら曜日まで分かっているのではないかと思うほどの生活力だった。

ゴミを漁るニホンジカ　奈良県、1990年

奈良市内には、今でも高さ2メートルほどの土塀のようなものがあちこちに点々としているけれど、これらは鹿垣（ししがき）の名残で、江戸時代には、こうした境界が町を囲む形で作られていたみたいです。普通鹿垣というものは、外部から町に野生動物たちが侵入しないようにするためのものですが、奈良では、内部にいるシカが外にある田畑に出ていかないようにする壁が必要だった。奈良の人たちは、ずっと神鹿による獣害に悩まされてきたということですね。

奈良公園のトイレの入口の格子戸は、シカにトイレットペーパーを食べられないようにするためのものだし、若木の皮の保護用に金属のネットが巻かれていたりもする。千年以上シカたちとつき合ってきた奈良では、共生していくための知恵や工夫が息づいているのです。

人間の同伴者

——現在イヌはネコと並んでペットの代表格であり、人間にとって一番身近な動物だ。人間は番犬、牧羊犬、猟犬、救助犬、運搬犬、伝令犬、盲導犬、警察犬など目的に応じてイヌを改良し、時に家族の一員として愛情を注いできた。ウシやウマ、ヒツジなども、家畜として人間とは長い関わりを持っているが、心的距離と生活場所の近さで見ると、イヌはほかの動物と比べるまでもない。古今東西、人間の暮らすあらゆる場所に入り込み、さまざまな役割を担いながらその傍らで繁栄してきた動物なのだ。

宮崎さんも柴犬を飼い、旅や山歩きのよきパートナーとして長い時間をともにしてきたという。

2006年に小学校3年生の娘が登校拒否気味になったとき、立ち直るきっかけになればと、秋田県にある天然記念物柴犬保存会に行って生後2ヶ月のホタルを連れてきました。秋田から長野までの車での道中、一声も吠えずにおとなしくしていたのが印象に残っていますね。天然記念物柴犬保存会というのは、昔から日本の国土にいたイヌを理想として純化し、保存する目的のもとに創設された団体です。一緒に山に入る相棒にふさわしい、頼もしいイヌを育てています。最近では「縄文犬」とか「縄文柴犬」という呼ばれ方をされることもあるようですが、このタイプは縄文遺跡から出てくるイヌの骨と骨格が同じ。「ストップ」と呼ばれる額段（額と鼻との境目にあるくぼみのこと）がないか、あっても浅く面長の顔で、歯が大きいのが特徴になっています。小型のニホンオオカミの骨格に似ていて、額から鼻までが直線的なので、匂いも嗅ぎ取りやすいのでしょう。

――純血種というのはある種、人工的に作り出した奇形だと思いますが、現代の「縄文犬」は、縄文時代に飼育されていたイヌを再現したものですよね。縄文の遺跡からは、人間と一緒に埋葬されたと思われるイヌの骨が出ているし、友や従僕としての古い歴史があ

上〈幼犬のころのホタル〉長野県、2006年
下〈額段のないホタル〉長野県、2007年

る。ただ、弥生時代になって稲作が始まると、額段がくっきりしている新しいタイプのイヌが入ってきて、埋葬されないどころか、食べられてバラバラになった骨が捨てられている。時代や文化によって、イヌと人間との距離も随分変わるものですね。

縄文時代はイヌを狩猟に用いていたので、大切に飼育していたのでしょうが、稲作農耕が始まると、イヌの立場が低くなっていったのかもしれません。狩猟の相棒として関係が近かった時代にはイヌを食べないというのは、分かる気がします。

——中国には見せ掛けは立派だが実物は違うという意味の「羊頭狗肉」という言葉がありますし、アジアやアフリカ、南太平洋などには犬食文化がありますね。鎌倉時代以降は、犬追物というイヌを放って弓の標的にして楽しむ競技や犬狩りもありましたから、人間の親しいパートナーとしての時代が長くとも、必ずしも蜜月時代ばかりではなかったはずです。

ところで、ホタルと山へ入る際は、どんな感じで歩いていたのでしょうか?

ノーリードだったね。呼び戻しといって、呼べば必ず主人のもとへ帰ってくるように訓練しておくのが基本。日本犬は賢いので言葉をすぐに覚えるし、山でも話しかけていれば、やってはいけないことやるべきことなど、イヌのほうがどんどん学習してくれる。ホタルは僕の先を歩いてくれて、危険を察知したときや動物がいたときなどは、ちゃんと啼いたり

立ち止まったりして教えてくれました。山ではイヌの動きをよく観察してさえいれば、大きな危険に遭うことは少ないはずです。いつもはホタルが100メートルほど先を歩いているのですが、僕がここにはクマがいそうだと緊張しているときは、スーッと距離を5メートルくらいまで縮めてきたりして、まさに阿吽の呼吸でしたね。命令しなくても、主人の心を見事に読んで判断しているようでした。

ある日、散歩中にホタルが立ち止まってじっと茂みを見ていたので、僕も覗いてみると、シカの子供が隠れていたこともありました。シカの子供は独特の鹿の子模様があって、木漏れ日の中に入ると、まったく姿が見えないのですよ。そんな気づきがしょっちゅうあったから、ホタルなしで山に入るのは恐くて仕方がなかった。

――家族であると同時に、山の同僚でもあるという不思議な関係ですね。イヌの視力は人間に及ばないようですが、聴覚と嗅覚は大きく上まわっていますから、人間の足りないところを補完してくれる。人間はどうしても視覚偏重になってしまいますが、視覚は対象物が視野に入ってこないと認識できないし、物体や闇に遮られてしまうため案外不便な感覚だと思います。それに比べて音と匂いは昼夜を問わず、どんな空間にも広範囲にわたって伝わるため、聴覚と嗅覚が鋭いと生存競争には有利に働きますね。

〈警戒態勢をとるホタル〉長野県、2014年

〈ニホンザルの声に聞き耳を立てるホタル〉長野県、2015年

〈ニホンザルと対峙するホタル〉長野県、2015年

人間が外敵から農作物や家畜といった財産を守り、管理できるようになったのはイヌのおかげでしょう。サルの仲間だったはずの人間が「万物の霊長」と自称できるのも、イヌの貢献が大きい。農耕牧畜社会に転換し、動物性蛋白質をはじめとする重要な栄養素を安定的に得ることができるようになったことで、爆発的に人口を増やすことができたわけですし。イヌのおかげで今日の人間があると言っても過言ではないかもしれない。

——人間はイヌと一緒に野生動物を支配してきたようなところがありますね。動物だけでなく、例えば、刑務所や収容所、植民地などで人間が人間を支配し、それを管理する道具としてイヌが使われてきた歴史もあります。動物の中でイヌは例外的に人間と近しいので、「権力の犬」とか、ネガティヴな意味で使われることもありますね。

「犬猿の仲」っていう言葉もありますね。僕とホタルは近所のサルに覚えられていて、常に威嚇してくるか逃げていくかのどちらかですよ。

——同じ霊長類であるはずのサルよりも、イヌのほうに心的な距離の近さを感じる自分がいます。

それくらい近しい存在で、人間と自然との境界に位置している。僕にとっても、欠かせない仕事の相棒です。ある日、ホタルがパイプに鼻を突っ込んで匂いを嗅いでいたので、携帯電話をライト代わりにして中を照らしてみたら、シジュウカラが卵を抱いていたことがありました。別の日には、ホタルが執拗に匂いを嗅いでいた木があったので、そこに無人カメラを設置してみたら、クマが体を擦りつけている様子が写ったこともあった。そんなふうに僕に自然を読み解くさまざまなヒントを与えてくれていました。

また、イヌは聴覚もすばらしく、遠くに行ったイヌを呼ぶ犬笛という道具があるくらいです。ほかの動物たちの出す音など、人は聞き取れない音を聞いているのでしょうね。イヌは人間よりも、高周波部分が格段に聞きとれるので、立ち止まって聞き耳を立てたり、執拗に匂いを嗅いでいるときは必ず何かがあると思ったほうがいい。

――犬笛は、「ゴルトン・ホイッスル」とも呼ばれていて、生物統計学と優生学の祖であるイギリスのフランシス・ゴルトンが作ったものです。優生学は人類の遺伝的構造を改良することで、理想的な社会を作り、人類の進歩をうながそうとした応用生物科学ですが、選択交配により特別な能力を突出させた純血種のイヌというのは、優生学の具現化とも言えますよね。

そういえば、ホタルは3本欠歯があったためにずいぶんランクを落とされました。

――雑種や植民地のイヌが純血種に比べて劣っているとみなされたり、危険視されたりして、駆除が正当化されてきた歴史も過去にはあります。そういうのも植民者である西洋人

〈パイプに鼻を突っ込むホタル〉長野県、2015年

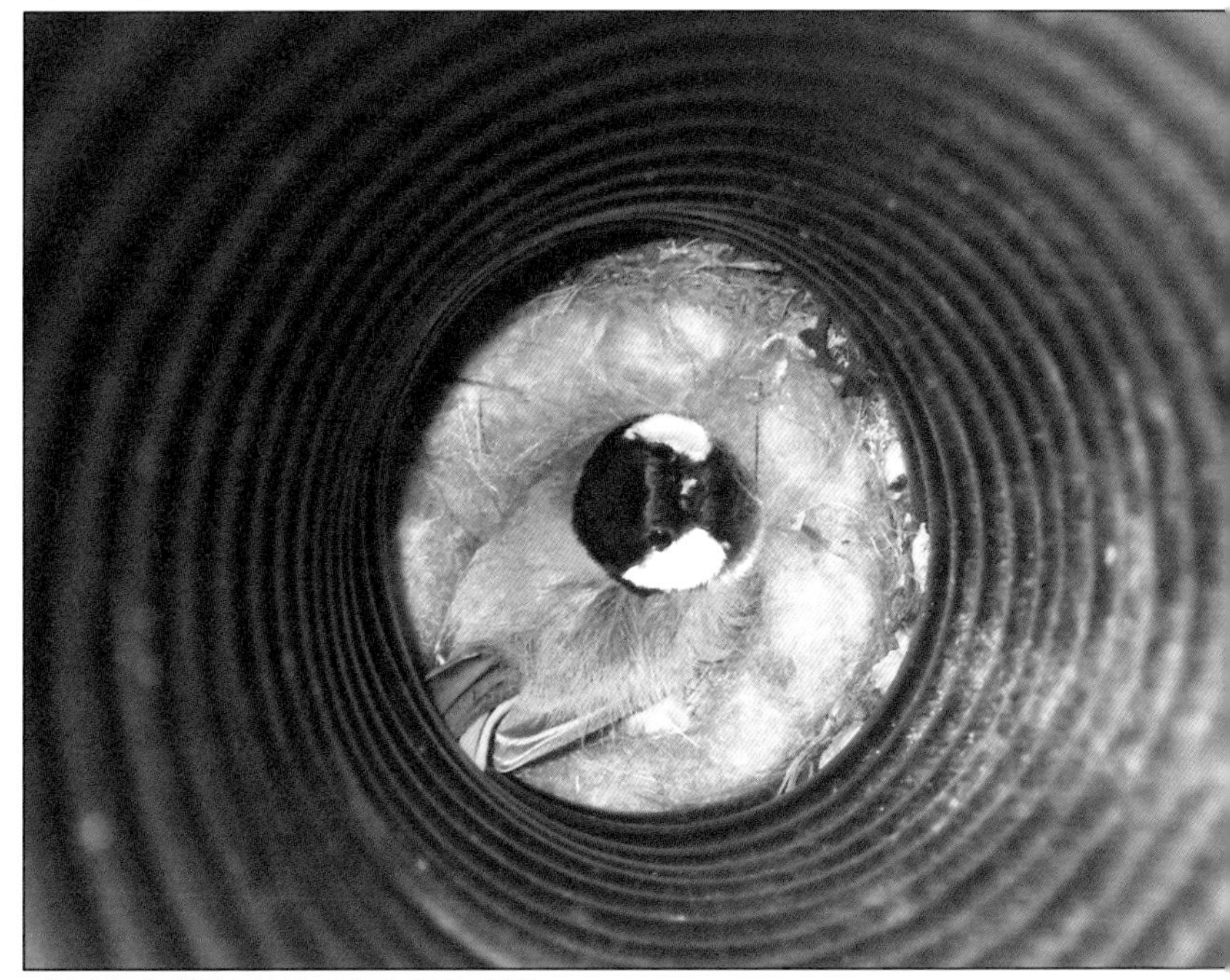

〈パイプの中で抱卵するシジュウカラ〉長野県、2015年

による恣意的に想定された差異なのですよね。

蛇足ですが、ダーウィンは写真による人間の表情と動物のボディ・ランゲージの比較分析をして1872年に『人及び動物の表情について』(浜中浜太郎訳/岩波文庫/1991年)という本を書いていて、人間と動物の心的能力に程度の差を認めつつも、質的な差を消去しようと試みました。先ほどのゴルトンは従兄弟です。ゴルトンはダーウィンの進化論を人間の遺伝的改良に応用しようとした人で、写真史的にも重要人物です。

ダーウィンのように動物を人間に引きつけて読み解こうという流れは、これまでもずっとありましたし、それに対する批判もあるわけですが、イヌと人間との近親性についてではなく、逆に動物としての他者性みたいなものを垣間見たことはありますか?

そういえば、ホタルはいつも嫁さんのパンツを執拗にかじってたなぁ。僕のパンツなんて見向きもしないのに、これだけはどんなに叱ってもやめなかった。普段はあんなにいい子なのにどうしても衝動が抑えられないみたいで、僕が見つけて叱るといつもシュンとしょげていました。嫁さんの母親が家に来て洗濯してくれたときに、そういう穴の空いたパンツばかりなので、訝しがられてちょっと困った(笑)。

——それはちょっと気まずいですね(笑)。

それで娘が初潮を迎えたころにもホタルが同じことをしたので、血の匂いに反応しているのだろうなとピンときました。おそらく野生の本能でどうしようもないのでしょうが、これはもうオオカミだと思いました。だからいくら家の中で飼って家族同然に思っていても、牙を持った動物だってことを忘れていると、事故のもとにもなるから注意しないといけない。赤ん坊が噛み殺されたというニュースもありましたし。

——小型のオオカミを人間が家畜化して、人間が好む性質に改良してきた種類がイヌになったというのが定説になっています。ニホンオオカミは「いぬ」、「山犬」、「お犬様」なども呼ばれ、野犬との区別が曖昧だったようですが、日本では山のイヌ(=ニホンオオカミ)やエゾオオカミは絶滅の道をたどり、里のイヌが人間の近くで人間とともに繁栄を極めてきたことになります。

野生動物というのは、多過ぎることも少な過ぎることもなく、調整しながら獲物を獲りますから、絶滅するまで食い尽くしたりしません。人間は食べるわけでもないのに、多くの動物を絶滅の淵に追いやってきた動物です。

ニホンオオカミは人間の影響で絶滅したとされていますね。肉食動物全般に言えることは、狩りをして新鮮な肉を食べる動物は、どうしても生存に不利な傾向がある。腐った肉でも平気で食べられるような食域の広い動物のほうが生存には有利になる。その意味でイヌは食域の広い雑食で繁殖力も旺盛だから今日の繁栄もうなずける。

〈木の幹の匂いを嗅ぐホタル〉長野県、2015年

〈ツキノワグマ〉長野県、2015年

――寒くても暑くても平気ですしね。

ヨーロッパではイヌは、狩猟と愛玩目的で飼育されてきて、17世紀ごろのフランス絵画には、家族の一員として表象されるイヌがたくさん登場し始めます。

日本では一般庶民が本格的にイヌを飼い始めるのは明治以降で、それまでは支配層や一部の町人に限られていましたが、開国後に洋犬がたくさん輸入され、個人の自宅でイヌを飼う西洋的な習慣が少しずつ根づいていきました。洋犬が入ってくる前の在来犬は、ただの「いぬ」とか「地犬」などと呼ばれていたようですが、それが「和犬」になっていく。明治期には洋犬に西洋近代への憧れが投影され、ステータス・シンボルとして流行るわけです。

「和犬」という呼称は、洋犬が大量に入ってきて雑種化が進んだ明治期に洋犬との対比の中で普及していき、1930年代には「日本犬」が作為的に創られることになります。その意味では明治時代に洋画に相対するジャンルとして創出された日本画と似ている部分がある。『日本犬の誕生―純血と選別の日本近代史』（志村真幸著／勉誠出版／2017年）という本で詳しく分析されていますが、昭和に入ってから日本犬保存会による選別や排除を経て日本犬が指定され、軍国主義に傾いていく過程でその有用性が謳われていきました。

チンや高安（こうやす）犬は日本犬とは認められなかったのですよね。大きな流れ

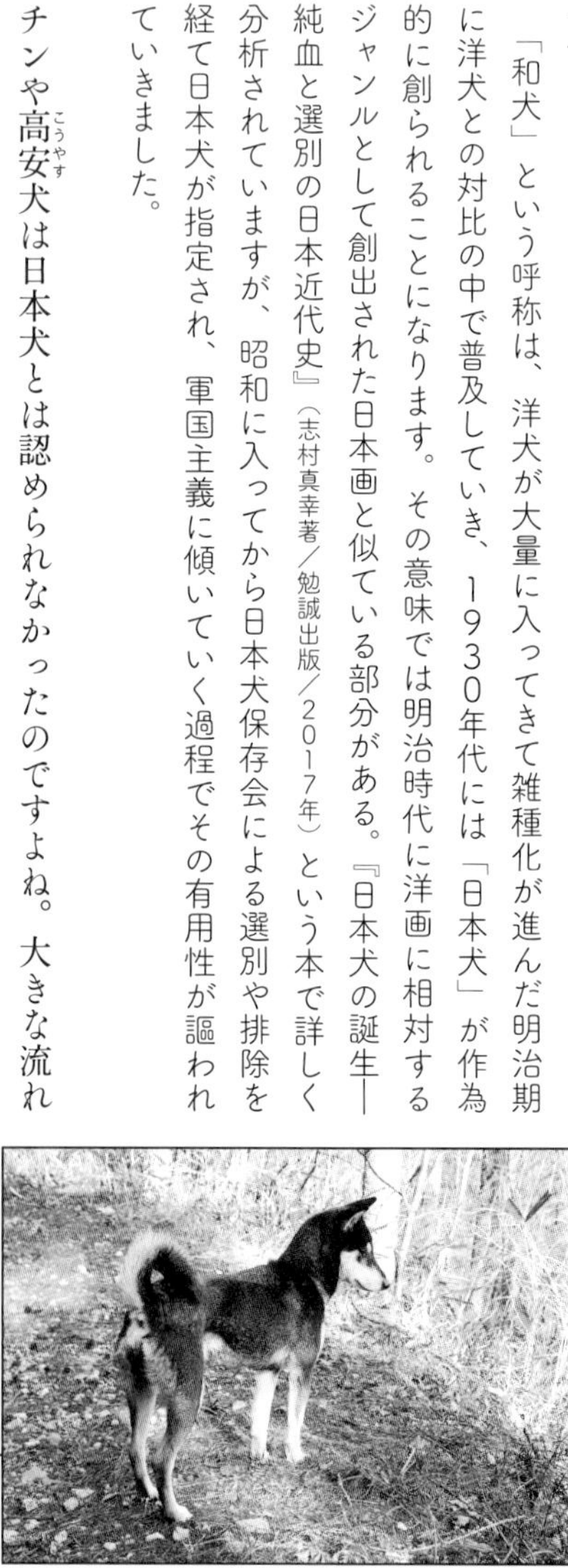

〈ホタル〉長野県、2010年

では、開国後の明治期は洋犬が流行り、戦中には日本犬、戦後はまた洋犬という感じかな。今や日常生活の中では、日本犬よりも洋犬のほうが普通に目に入るようになっているのが現状ですが、当たり前過ぎてそのことに気づかない。

——普通に洋服を着ているのとほぼ同じ感覚になりましたね。

満洲事変勃発後の30年代になると、それまで蔑まれ野良犬扱いされていたはずの日本犬が一転して称揚され国家のシンボルとされていきます。例えば、亡き主人を待ち続ける「忠犬ハチ公」の物語が「忠君愛国」の鑑として国粋的な愛国主義と結びつき、人間の美徳である忠義や純血という価値観が、動物であるイヌにまで拡大されて学校教育の中にも組み込まれるということが起こってくる。日本犬に日本民族の優秀さや純潔さ、勇敢さが幻視されていくわけですね。この秋田犬の話が美談として広まって渋谷駅前に銅像まで作られましたが、戦況の悪化にともなって1944年には金属供出の対象となったので、今JR渋谷駅前に建っているのは、戦後に作られた2代目です。

ハチ公は国立科学博物館で剝製が所蔵されていますね。戦時中は軍用犬用に供出させられたり、イヌに無駄飯を食わす余裕はないということで、ずいぶん飼いイヌが殺処分されたそうです。椋鳩十さんの児童文学『マヤの一生』（大日本図書／1970年）は、子供のころの実話に基づいている話なのですが、熊野犬のマヤが食料不足のために供出させられ種畜場に連れられていき殺されてしまう話で、当時ベストセラーになった。主人や家族に忠実なタイプの日本犬というのは、基本的には主人の言うことしか聞かないから、軍用犬としてはあまり向いていないと思うのですが。

——マヤは1940年から国民的規模で広がった犬猫不要論の犠牲者ですね。戦中、多くのイヌが処分され、文字通り「犬死」しました。軍用犬となったイヌは、その帰巣本能が伝令や案内に利用されたり、抗日ゲリラに対する警備役などにされたりしましたが、戦死したり、前線の兵士たちが扱い方を知らなかったりしたために戦地にずいぶん置き去りにされたりもしたようです。画家が絵筆(彩管)を執って国に尽くす「彩管報国」とか「写真報国」という言葉がありましたが、陸軍の肝いりで作られた帝国軍用犬協会(日本警察犬協会の前身)が掲げた「軍犬報国」というのもあって、民間で飼われていたシェパードなどを献納するように働きかけました。

何でもかんでも「報国」だったのですね。そういえば、靖国神社の境内に軍用犬の碑がありますね。軍馬や軍鳩の碑も。

——軍用犬として出征するシェパードが写っている珍しい記念写真を手に入れたのですが、人間と同じように日の丸をつけて写真館で撮られたもので、アルバムの中に家族写真と並んで貼られています。昭和8年とあるので、ちょうどハチ公が新聞で紹介されて有名になった翌年のことです。もしかしたら人間の出征と同じように地域の人たちに万歳三唱で

〈軍用犬の出征写真が貼られた家族アルバム〉1933年

送られたのかもしれません。イヌが家族の一員のような存在だったことがうかがえますが、こういう写真を見るとイヌの歴史は人間の歴史と不可分だという思いを強くします。

すごい写真だなぁ……。忘れられがちだけど戦争の犠牲者は人間だけじゃない。総力戦は人間だけでなく動物まで動員されるから。地雷探知犬とか衛生犬なんてのもいますね。

——ハチ公の美談もナショナリズムの高揚と密接に関係あるのですよね。ハチ公は洋犬に押されていた日本犬の保存のいいプロモーションとなって、1932年に銀座の松屋デパートで開かれた、初の日本犬展覧会にも特別招待犬として出ています。

日本犬保存会の発足が1928年で、僕がホタルをもらった天然記念物柴犬保存会の発足が1959年だから、実はそんなに昔のことではありませんね。戦後になると「名犬ラッシー」や「フランダースの犬」の影響もあって、再び洋犬が人気になってきます。イヌも人間の都合でもてはやされたり貶められたり大変ですね。

イヌというのは、人間と高度な意思疎通の術を持っていて、長きにわたる互助関係にあった動物です。愛玩動物としての歴史もネコよりもずっと長く、動物セラピーに使われたりもしてきた。ホタルのおかげもあって、娘も登校拒否から立ち直ったのですが、彼女が無事東京の大学に入学して自立し始めたタイミングで死んでしまいました。まるで娘の成長を見届けて役目を終えて逝ったような感じで。ガンになってしまってずっと具合が悪かったのですが、娘が帰郷してから2日後に死んだので、一生懸命頑張って帰りを待っていたようにも見えました。

――宮崎さんの言いつけをよく守るイヌで、駐車場の車の中で暴れもせず啼きもせず、トイレも我慢して何時間でも待っていたことが印象に残っています。僕のまわりは雑種の駄犬が多かったので、そういうイヌもいるのかとびっくりしました。ただ、血統書つきでも駄目なやつはいたので、要はしつけの問題なのでしょうか。そういえば、「犬種差別主義者」とは言わないですね。アドルフ・ヒトラーは熱狂的なシェパード好きだったようですが。

へぇ、そうなのですか。人間で同じことをしたら大問題だけど、イヌでは許されるわけか。しかし、ホタルは本当に賢かったなぁ。旅先で寒いときにはよく一緒に車中でくっついて眠ったりして、色々なところに行ったものです。主人の車を自分の縄張りとして守ろうとするから、ホタルが乗っているときに他人が近づくと危ないのですが。

――主人に忠実な日本犬は、よそ者を警戒する性質を持つことから番犬に適していると言われていますね。幕末・明治期に日本を訪れた外国人の滞在記などを読むと、人家の外辺や路傍のそこかしこに集団でいて、自分たちに向かって吠えたててくるイヌを、恐怖や軽蔑の対象としてとらえていたことが分かります。幕末のイギリスの外交官ラザフォード・オールコックは1863年に出版された『大君の都―幕末日本滞在記』(出口光朔訳/岩波書店

／1962年）の中で「日本社会の唯一のやっかいもの」と記しているぐらいです。西洋人の目には、日本のイヌは、攘夷を掲げて自分たちを襲う日本人と同様に敵意に満ちた野蛮な動物に映っていたのかもしれません。

『犬の帝国―幕末ニッポンから現代まで』（アーロン・スキャブランド著／本橋哲也訳／岩波書店／2009年）の中で、イギリスの旅行作家のイザベラ・バードが日本のイヌを「原始的」「攻撃的」「オオカミのよう」と記述していることが紹介されていました。そしてこうした語彙は当時の科学的人種主義と文明のレトリックに特徴的なもので、帝国主義下の世界で多くの非西洋犬を描写するのに使われていたようです。人間とイヌの関係は近いので、要は日本人がそのように見られていたということでもありますけど。

日本人へのネガティヴな印象がイヌに投影されたんだろうね。

――似たような記述はほかにもたくさんあって、ヘボン式ローマ字を作った宣教師のジェームス・カーティス・ヘボンなんかも、イヌに吠えられ、その啼き声が街中に伝播していったと書いていています（『ヘボン書簡集』／高谷道男編訳／岩波書店／1959年）。1匹のイヌが異変に気づけば、周辺のイヌ全てが連携して警戒態勢に入って威嚇するわけです。

見慣れない外国人だったらなおさら吠えられたろうね。かつては村の中でイヌ社会がきちんと構築されていたので、怪しい侵入者を見たり、危険なときには集団で啼いてテリトリー

である村や主人を外敵から守ってきたのですよ。たとえ大きなクマが相手であってもイヌが何匹か集まれば、チームワークで入り込まないように防衛ぐらいはできるし、飼い主も啼き声で外の異変を知ることができるから。つい50年前までは中山間地の村では、イヌは放し飼いにされているのが普通で、山から村にやって来る野生動物たちを追い返すのは、重要な役割のひとつでした。だからいい留守番役にもなっていて、農作業に出ていてもイヌの啼く声で誰か来たことが分かった。「○○さんの家のイヌが啼いてるよ」って感じで。僕が子供のころもそういうイヌがあちこちにいて、子供同士で「あのイヌは危ないから」とか色々話していた覚えがあります。

僕も飼いたかったけれど、父親からイヌはひとり分飯を食べるから余裕がないと言われて、泣く泣く諦めました。まぁ今思えばその通りなのですが。

——いわゆる「村犬」とか「町犬」というやつですね。宮崎さんの子供のころより前ですが、柳田國男は、「私などの生まれた村では、村の狗というのが四五匹は常に居たが、狗を飼っている家は一軒もなかった。彼らの食物は不定であり、寝床も自分の癖だけできめていた」と書いています（『豆の葉と太陽』／創元社／１９４１年）。柳田が子供だった１８８０年代には、特定の飼い主がいない半野生のようなグレーゾーンのイヌが常にいて、縄張りである村の中で、人の生活に依存しながら餌や寝床を確保していたのでしょう。こうした半野生的な無主のイヌとの関係が西洋文化を導入していく過程で野蛮視され、人間とイヌとの緩やかなコミュニティが崩壊していくわけです。

江戸のような大都市では、そういう野良イヌみたいなイヌたちが残飯を処理するスカベンジャー的な役割も担っていたのですよね。

――僕が子供のころは、捨てられていた野良イヌを親に内緒で友だちと飼ったり、連れ帰ったりして叱られたなんてことがまだありましたが、今は野良イヌがいればすぐに捕獲されて処分されるシステムが確立していますから、住宅地ではほとんど見なくなりました。

山間部ではときどき野犬の群れを見ることがありますよ。

そういえば以前、イヌの殺処分を行っている千葉の施設を撮影したことがあって、その施設は殺処分に近づいていくほど部屋が小さくなっていく作りになっていました。檻の上まで登って撮ってみると、あと数時間で殺されるイヌたちは、もう先が長くないのをほとんど悟っているような感じで静かにしていた。一方で連れられてきたばかりのイヌは、大きめの部屋に入れられて、ウロウロ動いて啼きまくっていたり、交尾しまくっていたりしてほとんど混乱状態みたいな感じでした。死が近づくと子孫を残すために交尾の衝動が強くなるのは、もしかしたら人間も同じで、戦地での慰安婦の問題にも繋がるのかもしれないと考えたりもしました。

――愛玩動物との関係が、人間側の都合で一方的に断ち切られることがあるので、そうい

〈殺処分施設のイヌ〉 千葉県、1994年

う動物を殺処分する場所が存在しているわけですが、本来は遺棄される動物ではなく飼う側の人間を管理しなければいけないのでしょう。今は愛玩動物の家族化と大量殺処分という相反する事態が同時並行である時代です。

動物を所有することで飼い主が自身を誇示することは古来からありましたね。動物が高価なアクセサリーやブランド品のように、権威の象徴や贈答品として使われてきた。そういう機能は今も変わっていないかもしれない。

ただ、イヌも可愛がられてばかりいたわけではなく、明治時代には狂犬病への恐怖や狼藉を働く個体を規制するため、各都道府県で畜犬取締規則が定められて届出制になりました。所有者のいる飼犬とそうでないイヌとの区別が厳しくなって、登録鑑札が交付され、畜犬税が導入されるにともない、以前の「村犬」や「町犬」は数が少なくなっていきました。

さらに今の日本では、原則としてイヌはリードで繋ぐことが義務づけられているだけでなく、室内犬の割合も増えて、家の警備という面では、もはや番犬ではなく監視カメラや民間の警備会社に頼ることが多くなってきましたね。そして、イヌに咬まれるという獣害が減った反面、そのほかの動物による獣害が増えてきている。

里山の警備担当だったイヌがいなくなり、近隣の野生動物たちは里への侵入が楽になったと思います。人間を咬むような気性の激しいイヌは淘汰され、従順な個体を選別してきた歴史もあって、だんだんと番犬や猟犬には向かないイヌが増えてきたということも原因のひとつかもしれません。番犬がいても、入ってきた泥棒が餌付けして慣らしてしまったなんて話も聞きました。
だから獣害の増加というのは、イヌの飼われ方の変遷に原因の一端があると僕は思っています。長野県のように放し飼いの特区を設けた自治体があったり、猿追い犬の「モンキー・ドッグ」の育成をしているところもあるけれど、まだまだ認識不足でしょう。これだけ獣害が増えてきているわけだから、イヌの存在を見直す時代に入ってきているはずです。

——時代に合わせて人間の希望に応じてイヌも進化してきたとも言えるかもしれません。最も成功したシナントロープと言ってもいいですね。

進化してきたのか、進化したけれどもまた退化したのか分かりませんが、最近はイヌの散歩中に人間が動物に襲われたり、クマに襲われた主人を置きざりにしてイヌだけが帰ってきたという話も聞くようになりました。最近のイヌが軟弱になっているのと、本来のイヌはどんな動物かということを人間が忘れてしまっているのでしょう。
ただ、愛玩犬というのもけっこう重要で、僕もホタルがいなくなってペットロスになりそうでした。それにひとりで山に入るのが怖くて仕方がないので、タカラとゲンという同じタイプの柴犬を2匹飼うことにしました。これからどれくらい相棒として鍛えることができるか楽しみです。

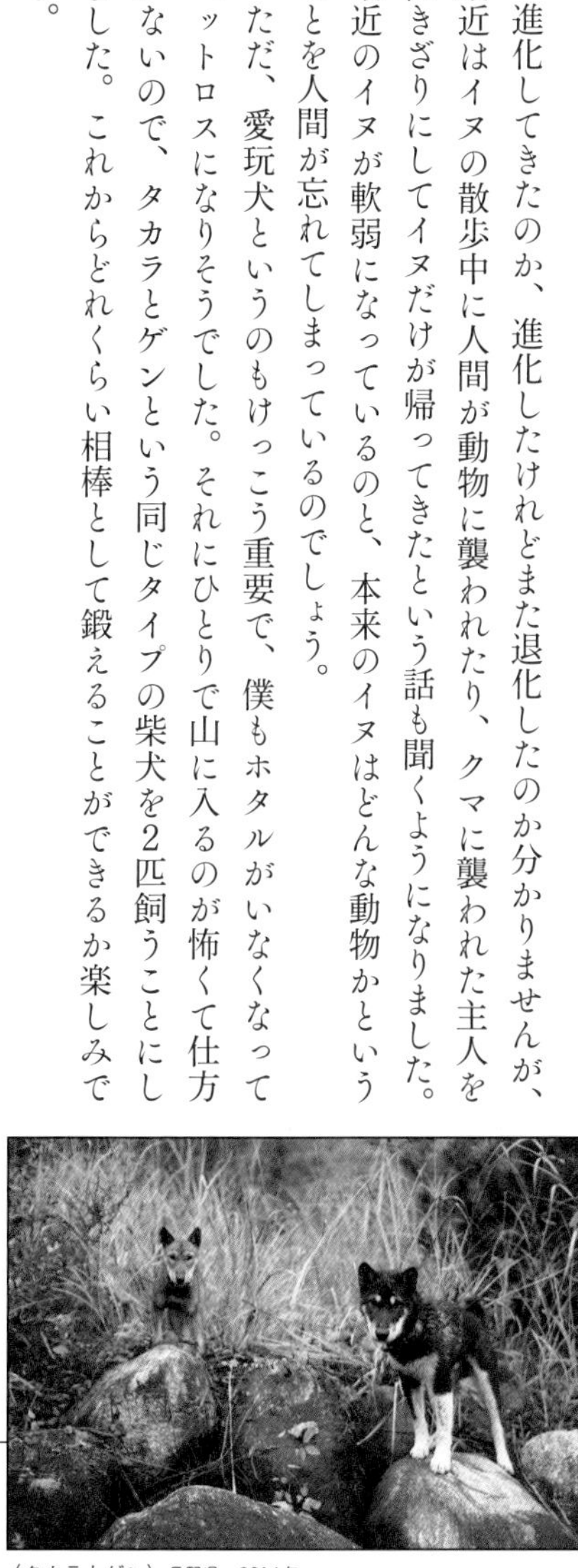
〈タカラとゲン〉長野県、2016年

——朝飯を買いに宮崎さんの仕事場の途中にあるコンビニに立ち寄ったときのことだ。店の中に入ろうとすると、どこからかピイピイと鳥のヒナの声が聞こえてきた。コンビニの軒下にツバメが営巣していたのだ。なぜこんなところに、と思ったのだが、名探偵の宮崎さんは、すぐに答えを導き出してくれた。

生物たちの電気利用【せいぶつたちのでんきりよう】

ツバメがここに営巣したのは、コンビニの電気照明と関係があるはずです。24時間営業のこの店は、夜も煌々と明かりをつけてお客さんを迎えてくれますが、コンビニの光にはお客さんだけでなく、虫たちも誘われてやって来ます。近年は量販店やマーケットでも夜遅くまで営業しているところが増えてきて、営業中のサインをライトで照らして、漏光を空に放っています。その光にさまざまな虫たちが集まって来るから、ツバメは餌であるそうした虫たちを夜遅くまで飛びまわって狙うのです。だから巣を、そういった店の軒下に作っていることがよくあります。店によっては、入口に殺虫灯や殺虫器を設置しているところもあるけれど、そういうものがなければ、ツバメたちにとっては、巣の目の前まで餌が勝手にやって来てくれる最高の環境と言っていいでしょう。次々と獲物が飛んでくる、ほとんど回転寿司状態ですから。親鳥が全部のヒ

高速道路脇でクリ拾いをするツキノワグマ
長野県、2009年

ゴミ池で小魚を探すアオサギ　兵庫県、2002年

ナに餌を十分行き渡らせるのは、かなり大変なことなので、いかに効率よく子育てをするかを考えた「イマドキの野生動物」の知恵ではないでしょうか。

ツバメだけでなく、ハクセキレイという野鳥も、昼間は物陰に隠れていますが、夜になると駐車場などの人気の少ないところに出てきて、転がっている虫の死骸を拾って食べている姿をよく見かけます。ここ30年ほどで急速に数を増やしてきた野鳥です。

一晩中明かりをともしている自動販売機や橋の欄干、公衆電話のまわりでカゲロウやガを待ち伏せしているカエルやヤモリにもよく遭遇しますし、販売機の前に巣を張って獲物を待っている、効率主義者のクモもいます。

以前、兵庫県で人口の多い明石市付近をまわった際に、深夜営業のショッピングモールや高層マンションが集中する地区で、たまたま池に行き当たりました。近所の建物の明かりが水面に反

玄関灯に巣を作ったツバメ　長野県、2003年

射している場所にアオサギが来ていて餌の魚を捕っていました。人工の明かりが漁り火となり、夜目の利かない鳥たちが魚を探すのに役立っていたのです。アオサギは、昼夜ともに餌探しをする野鳥ですが、やはり漆黒の闇の中より人工照明の届く多少明るい場所のほうが、かなり効率よく餌獲りができるようです。しかも、そのような現場は、光と闇のコントラストが強過ぎてわれわれ人間の目には意外と入りづらい。そんな盲点をアオサギはちゃっかり突いて、余裕綽々で都市生活をしているのだと思いました。

　中央アルプスのツキノワグマも、電気をまったく怖れないどころか、高速道路の近くで道路の街灯の光を頼りに餌探しをしているほどです。人間が便利さを追い求めた結

橋の下のゴイサギ　東京都　2007年

自販機に巣を張ったクモ　長野県、2007年

果の明るさが、野生動物の視力を助け、昼間と変わらない行動を可能にしているのです。

人工衛星から地球を見ると夜の日本は、あまりにも明るく輝いていますから、そんな環境が動物たちに影響を与えないはずがない。日本で電気が普及し始めてまだ百数十年ですが、野生動物たちは、環境の変化にも順応して、たくましく生きているのです。彼らにとっては、電気エネルギーは自然の一部になっていますから、それを利用することは、もはやお手の物なのでしょうね。われわれは、街を明るくすることで人の近くに棲む動物のすみかまで明るくし、彼らの夜を変えてきたわけです。

夜景とタヌキ　山梨県、2013年

——宮崎さんがカルティエ現代美術財団の「Le Grand Orchestre des Animaux」展に参加することとなり、一緒にパリにやって来た。短い滞在だが、パリ市内の動物事情について調査してみることに。市街地を少し散策したあと、リュクサンブール公園に入ると数種類の鳥の鳴き声が聞こえてきた。

パリジャンの鳥たち【ぱりじゃんのとりたち】

パリはとにかく道にイヌの糞が多いイメージがありますが、ハトの糞もかなりのものですね。ただ、ドバトだけじゃなくて、モリバトも混じっているみたいです。モリバトは、知らないとドバトと間違えてしまうけれど、もうひとまわり体が大きくて、日本のキジバトに感じが似ています。名前の通り、基本的には森にいるハトですが、市街地でもたくさん見かけます。街路樹の下に糞がまとまって落ちているところは、夜寝るために帰ってくるねぐらでしょうね。

　鳥類の中には、ゼラチン質でパックされた糞を親が巣の外に運び出して捨てる種がいて、例えば、ハトはわざと雑に小枝を組んで巣を作り、外に糞を落とします。ほら、あそこでモリバトが巣材の枝を拾っているでしょう……と思ったらもうメスのお尻を追いかけてる（笑）。都会派のパリジャンバトですね。

　この公園には、カケスやワカケホンセイインコ、ホシムクドリ、ミソサザイ、カラスあたりが生息しているようですが、餌になる果実もたくさん実っているし、噴水など水場もあって居心地がよさそう。こういうふうに人間の作った環境が彼らを助けているのですよ。

　海が遠いこんな街中なのに、

彫刻の頭につけられた針金　パリ、2016年

街中のカモメ　パリ、2016年

カモメもいますね。カモメは岩礁に巣を作る鳥だから、パリの石造りの建物はちょうど具合がいいのかもしれません。

　市街地のゴミ箱は、テロ対策なのでしょうが、中身が見えるようにリング状の金属にゴミ袋を吊るすだけの方式になっているから、鳥たちにとってはゴミをあさりやすい環境です。

　あそこの石膏像の頭から尖った針金が出ていますが、あれも鳥が頭の上に止まって糞をしないための対策です。ちょっと像の見た目が間抜けなのが残念ですが、像が糞だらけになるよりはいいということなのでしょう。

パリは1年中観光客や地元の人たちに餌をもらえるし、街路樹や公園、墓地も多いから、彼らにとっては、間違いなく棲みやすい環境だと言えます。

終章

森と動物と日本人

森と動物と日本人

――毎年世界中から広大な面積の森林が消えているという話はよく耳にする。人間による「自然破壊」によって絶滅していった生物たちが数知れずいるのも事実だろう。しかし、国土の約70%が森林に覆われている日本は、フィンランドやスウェーデンなどと並んで先進国の中では最も高い森林率を維持している、「森林大国」のひとつに数えられる。

この日本の高い森林率は、そこに生息する野生動物やわれわれにとってどのような意味を持つのだろうか。このこと考えるために伊那市にある「諏訪形の猪垣(ししがき)跡」という史跡に行ってみることにした。

このあたりには、元禄時代以前から村と山裾を隔てるようにして何キロメートルにもわたって猪垣が作られていたようで、その一部が再現されています。猪垣というのは、農作物を荒らすイノシシやニホンジカなどの大型動物の侵入を防ぐために木や石で作られた防御壁のこと。村人たちは、ほかの村とも共同で砦のようなものを作っていました。現在は、この猪垣に並行して電気柵が作られているから、このあたりの人たちは今も昔もずっと獣害の被害に悩まされてきたことが分かります。よく有刺鉄線なんかにイノシシやクマの毛がついているのを見かけますよ。イノシシなら防護柵も1メートルぐらいあればいいのですが、跳躍力のあるシカは、さらに高くする必要があります。これほど大規模なものを作ったということは、獣害の被害がよほど深刻だったということでしょう。

――ニホンジカもイノシシも肉になる大型動物は「シシ」と呼んだのですね。江戸時代の農民は銃を持つことを許されず、積極的に狩ることができなかったために防御にこれだけの労力を割くしかなかったのでしょう。獣害対策のいたちごっこが続けられてきたことがよく分かる場所です。

上〈イノシシとツキノワグマの毛〉長野県、2006年
下〈案山子〉長野県、2010年

こういうけもの道と接している田畑には、昔はよく案山子が立っていましたが、近ごろは少なくなってきました。あれは人形を人間に見せかけて視覚的に威嚇するだけでなく、汗や匂いが染みついた布や動物の皮の匂いを「嗅がす」ことで嗅覚に訴えるものでもあったようですが、実際やってみたところ効果は薄くて、イノシシの皮は、食べられてしまったぐらいです。あとは、水力などを利用して一定時間が経つと定期的に大きな音が鳴る鹿威(ししおど)しも聴覚に訴える全自動式の威嚇装置の一種。山の近くに暮らす人間たちは、こうして色々な知恵を駆使しながら動物たちと対峙してきたのです。

――案山子は獣害対策という意味だけでなく「田の神」などに守ってもらうという意識の表れだという説などさまざまありますから、象徴的な意味もあると思います。岩手の遠野や岩泉にある芸能鹿踊(ししおどり)も、害獣としてのシカの服従を演じて豊作を願ったり、殺されたシカの供養などの意味があると言われています。

シカは、稲穂になる直前の穂先が好物で、冬に食べるものがなくなると木の皮まで食べてしまうから、昔から害獣の代表選手。大食漢だから被害の規模も大規模になって周辺の植生を変えてしまうこともある。植物の毒やトゲは、そういう幼木を食べてしまう動物への対抗策なのです。以前見かけて驚いたのは、トリカブトを食べているシカがいたこと。薬も毒の一種だから、もしかしたら薬として食べているのか、あるいは採食できる植物の範囲をどんどん広げている新世代の個体なのか。

――人間も飢餓状態になれば有毒なソテツを食べるくらいですが、そういうことではないのでしょうね。

山にはいくらでも餌があるから飢餓状態ということはないはずなのに、なぜ毒のあるトリカブトを食べるのかは、分かっていません。

しかし、ここの猪垣のすぐ脇の畑が電気柵で囲ってある状態を見ると、時代が変わってテクノロジーが進んでも獣害はなくならないということかもしれないですね。ただ、実は時の流れとともにある変化も起きていることも分かりました。近くに石造りの古い猪垣があるので、ちょっと行ってみましょう。

ここの石造りの猪垣は、山裾と並行するように幾重にもはりめぐらされていて、それと並んで「山の神」が祀られています。猟師や炭焼き、木挽きなど、山での仕事を生業とする人々が昔から山の神を山の入口付近や山頂に祀ってきました。こういう祠や石塔は、かつて山の神に逢ったり、祟りを受けたりした場所に、神を鎮める目的で建てられたと伝えられていて、危険をともなう山仕事や猟の前には、お神酒などを捧げて安全祈願をしたようです。山の恩恵を受けてきた人たちは、こうした山の神を信仰の対象にし、ある場所までは人間が利用させてもらう日常の領域で、それ以上奥

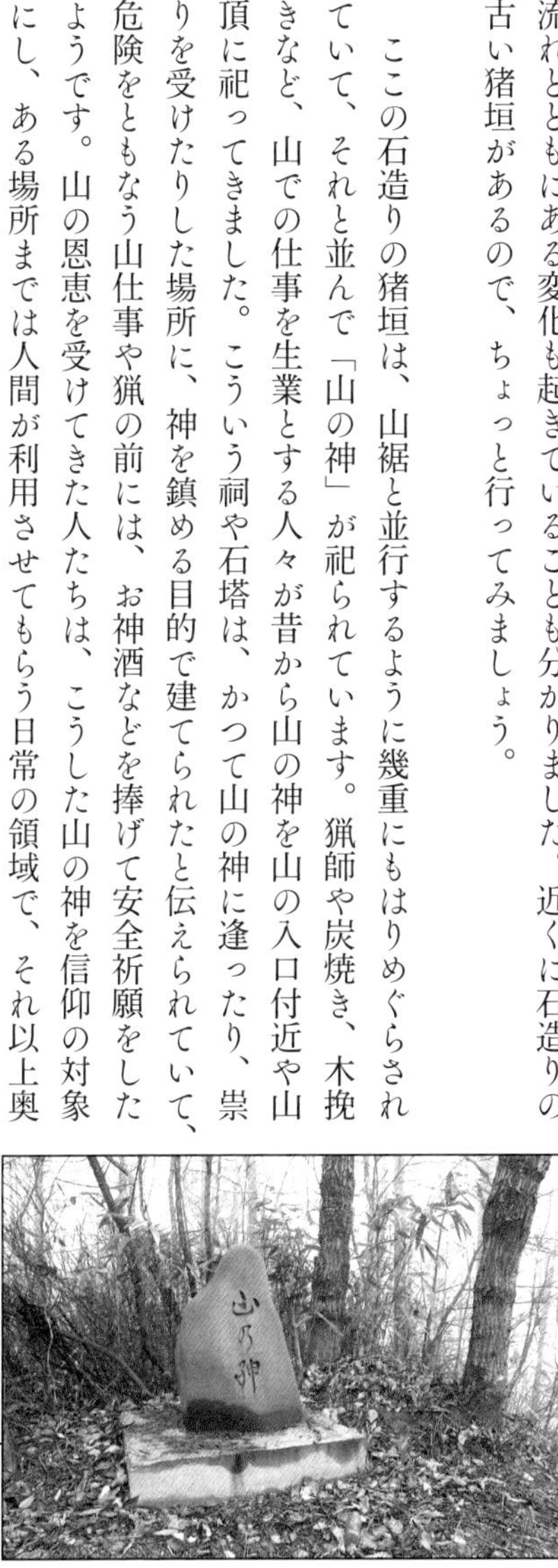

〈折草峠の山の神〉長野県、2006年

は非日常の異界であり、聖域であり、神の場所という形で歴史的に使い分けてきました。ただ、その境界は曖昧で、奥山のほうも人間の手が入っていたりします。

実は、僕は動物とからめて、別の観点から山の神を見ているのです。山の神というのは、一般的には醜い女の神とされ、女性が山に入るのを特に嫌うと言われていますが、そこには人間の生理現象と関係があるように思えます。昔は今のように毎日風呂に入れるわけではなかったし、消臭効果のある生理用ナプキンもなかったから、女性が生理の際は、動物たちの死体と同じ類の死んだ血液の匂いがしていたはず。ということは、そのような血液の匂いや体臭には、オオカミやツキノワグマといった動物たちが敏感に反応して出没してくる可能性が高い。マタギが女性を連れていくことをタブーとしたり、特定の期間を忌みとする一時的な女人禁制もあったようですから、山の中で生理中の女性が襲われたり、山の仕事場に動物が乱入するようなトラブルがしばしばあったのではないか、というのが僕の説なのですが、なかなか言いにくいところではあります。

——山の神は地域によってかなり多様性のある神で、『遠野物語』に出てくる山の神というのは、世俗化したためか異形の男や女の姿をしているものが多いのですが、確かに山男にさらわれたり、神隠しに遭うのは、女性の場合が多い。山中を支配する山の神は、遍在的な神で、山の幸をもたらすと同時に厄災を起こすという二面性を持っています。今は願いを叶えてくれる優しい神様ばかりになってしまった感がありますが、本来神というのは、荒ぶる神という恐ろしい部分も持ち合わせていたはずです。

確かにそうだね。山の神は、人間と動物たちとの境界に当たる場所にあることが多いです。山には信仰の山と生活の山の両方があって、人間が利用するものとそうでないものがある。かつては山開きや山閉じなどをもうけて簡単に登らせないように管理していたこともあるから、女性にからむ事件が多発した結果、長い経験の蓄積を通して女人禁制の山ができあがったのではないか、と僕は考えているのですが。

——東北地方のマタギが山に入るときは、普段と異なる「ヤマコトバ」を使ったり、さまざまな禁忌が存在したようですから、山中は里とは異なる他界という認識だったのだと思います。

『万葉集』で「社(やしろ)」とか「神社」を「モリ」と読ませている例がいくつかありますが、もともと「モリ」というのは、ただの木の集まりではなく神の居所のような場所ことを意味していたのでしょう。沖縄諸島ではこんもりとした森のような場所が御嶽と呼ばれる聖域とされ、共同体を支える祭祀の中心となっています。本来は本土のように社殿がない森の空間で、クバの木などを介して神が降りてくる場所とされています。岡本太郎が『何もないこと』の眩暈」と称して、その清浄さに衝撃を受けたことで知られています(岡本太郎『忘れられた日本―沖縄文化論』/中央公論社/1961年)。

もしかしたら古い信仰の原型が残されているのかもしれないですね。奈良の三輪山みたいに山自体が大神（おおみわ）神社の御神体になっている場所もあるけれど、要は、樹木が密生して生い茂った場所を「モリ」と呼んだのでしょう。「神の社」で神社。奥山の依り代である鎮守の森というのは、神と人間との接点のような場所でしたが、近年は、そうした境界が崩れてしまっているような気がします。

――今では森林の多くは山にあるので、今は森林＝山とほとんど同義になっていますね。

しかし、ここの猪垣も古い時代のものは、今にも崩れそうですね。こうした猪垣の遺構を越えてくる動物たちを狙って無人カメラを設置したら面白いだろうなぁ。林が猪垣よりももっと里側のほうにまで侵入してきているから、人間の側がどんどん押し込まれているのが一枚で分かる写真になりそう。

――昔はこの場所が田畑を守る人間と動物たちとの攻防の前線だったのでしょう。しかし、こうした里山の森というのは、人間が管理を放棄してしまったように見える場所が多くて、だいぶ荒廃してしまっているように見えるのですが。

何をもって「荒廃」というのかが問題なのですよね。確かに人間の立場から見れば、それまで人の手が恒常的に入ることで管理できていた場所に色々な樹種が勝手に乱立してくると荒れているように見えるのかもしれないし、スギやヒノキが植林されて整然とした山や深い原生林が豊かに見えたりする。しかし、動物たちの立場から見れば、人間が盛んに活動していたときよりも多様性のある植物が繁茂することで、餌も森林も豊かになっているとも言えます。人間が一面的に自分たちの物差しだけで物事を測るのではなくて、複眼で見ないといけないのです。

――植生が固定されて安定した原生林や手入れの行き届いた画一的な人工林よりも、林床に光が差し込む雑木林のほうが、ニッチが多くて生物多様性が豊かになるという面もあるということですね。

消費者であるはずの人間が植物の生産過程を管理する農業は、同一規格のものを1箇所に集中させて画一的に管理するという「不自然」な状態なのでしょうが、そのやり方を適用したのが戦後の人工林で、今や全森林面積の40パーセントにも及んでいるようです。これはいびつな自然と言ってもいいかもしれない。

農業のように一挙に収穫とまではいかないから、木材価格が下がり、後継者も減ってくると半ば放置されてしまう。そうした人工林が作られる前は、集落の後背地にあった里山林を日常生活の中で定期的に利用していたわけです。例えば、森林では山菜や木の実、キノコ、タケノコ、クズといった食料を得られますし、そこをすみかにする動物も人間にとって重要な蛋白源であるとともに、薬でもあり、日用品を作るための資源でもありました。

石油、石炭などの化石燃料や電気、ガスなどのインフラが普及するまでは、人間にとって薪炭が主なエネルギー源となっていたから、料理をするにも暖をとるにも、陶磁器や鉄、紙を作るのにも、要は何をするにも必要不可欠でした。

――里山というのは、農業や林業に狩猟採集生活を部分的に取り入れていたハイブリッドな生活様式で、まさに昔話の「おじいさんは山へ柴刈りに、おばあさんは川へ洗濯に……」の世界だったわけですね。「桃太郎」の冒頭は、典型的な里山の風景の描写になっていて、身近な自然を利用しながら暮らしている老夫婦のもとに異界である奥山のほうから桃が流れてくるという話になっています。

そうした里山の近くには、茅場や家畜の飼料の供給地もありました。また、建築資材のほとんどを樹木や土、石といった山の恵みに頼っていたのは、古い日本家屋を見れば一目瞭然でしょう。柱や梁、屋根、床、土壁も全て森林資源によるものです。古い日本家屋では、フクロウやカエルなどの鳴き声など外の音が全部室内まで聞こえてきます。そういう音が聞こえなくなって自然と乖離してしまう前の時代は、今と違って人間の生活に欠かせないものの多くを山が負っていて、明治・大正期の里山の写真を見てみると、村の背景に広がっている山は、大抵痩せたハゲ山に近い状態になっていることが多いのですよ。

――友人が函館の街を近くの山の上から撮ったら、明治時代の写真には街全体が写り込んでいたのに、今同じ場所から撮っても周囲の樹木が鬱蒼としていて街が隠れてしまうのだと言っていました。北海道開拓使が田本研造らに撮らせたいわゆる「北海道開拓写真」には、多くの山がハゲ山化し、平地の森林も伐採されて大量の木材が線路や建築に使われていく様子が克明に記録されています。近代化を急ぐ和人による「開拓=侵略」によって北海道の風景は、一変しました。

僕は動物の視線からだと人間の街はどういうふうに見えるかといつも気にしているから、山に登った際には夜景を撮りたいと思うのですが、以前は見通しがよかったはずの場所も今はどこも鬱蒼としているから撮影ポイントがなかなかありません。

森林が最も貧弱になって駆除が進んだ明治時代にニホンオオカミがいなくなったのも隠れるところがないわけですから、当然といえば当然な気がします。オオカミの餌となるシカも全国でたくさん狩られたようですし。

江戸時代から日本各地のハゲ山化は、問題になっていて、明治時代に入ると、旧来の藩有林などが政府の官林や皇室の御料林となって一元的に管理されるようになりました。また、神仏分離令と神社合祀令によって鎮守の森が大規模伐採されてその数は3分の1にまで減少したようです。

「エコロジー（エコロギー）」という言葉を日本で初めて使ったのは、南方熊楠なのですよね。鎮守の森の破壊に対する反対運動をした際に。

――はい、熊楠は、鎮守の森として残された森林や神木、土地を近代化のために利用したいという政府や産業側の要求に対して、「自然の破壊」は、「人間の破壊」に繋がるという信念のもと敢然と立ち向かいました。熊野で生まれ育った熊楠は、粘菌をはじめとした微生物や昆虫、動植物、そして人間が織りなす有機的で複雑な関係のネットワーク全体を守ろうと鎮守の森の破壊に抵抗しました。しかし、近代日本人にとって森林や山は、次第に神秘的でコスモロジカルな異界ではなくなり、登山の対象や風景、資源として意識されるようになっていきます。

森林では落ち葉や枯れ枝が微生物によって分解され、そのまま腐葉土になって樹木の栄養分になるというエコロジカルな円環が成立しています。人間はその自給自足的な循環に割り込む形で定期的に落ち葉掻きや枯れ枝拾いをして、管理しながら田畑の肥料として利用してきたのです。倒木や立ち枯れた樹木は、30年の樹齢ならシロアリや昆虫たちに食べられながら同じくらいの時間をかけてゆっくりと土に還っていく。熊楠はそういう小宇宙のような世界を知っていたのでしょうね。

森林は、その再生速度を上回るペースで過剰に利用すると循環のバランスが崩れてしまい、自分たちの首を絞めることになりかねないため、藩などによって適切に管理される必要があったのでしょう。今の国有林も保安林の役割が大きくて、要はずっとお上に管理されてきたということですよ。

〈倒木〉長野県、2016年

――だから、人間の自滅を避けるために共同利用される入会地をもうけて所有権を分有するようにして共同体で一括管理する必要があったわけですね。

何でも早い者勝ちの取り放題になってしまったら、あっという間に乱伐されてハゲ山だらけになるので、入会権や御法度などの約束事を設けて共同体が持続的に利用できるように調整する必要があったのでしょうね。里山林というのは、人々が集まる共生の場になっていて、群生している植物については、全部採らずにある程度は残しておくとか、この期間は山に入れないという細かな決まりや秩序があって森林資源の枯渇を防いでいました。もし村八分になって入会権を失うようなことになれば、燃料や飼料、肥料を含めたライフラインが失われてしまうから、残りの二部である葬式の世話や火事の消火活動以上に重大問題になってしまいます。

――以前、ダムに沈んだ岐阜県徳山村のことを調べたことがあるのですが、「徳の山」という名前の通り山の恵みによって生かされているという意識の中で、そういう自然への考え方が細かな作法として共同体の中で共有されていた村でした。河童や天狗、ご先祖様なんか日常の中にいるような世界だったのが、ダム建設によって山や祖先とのつながりを捨てて補償金と引き換えに平地の造成地に下りることになってしまった。半自給自足的な生活を営んでいた人たちが現代的な消費者に変わり、それまで山から直接得ていた水や食料などを金銭を介して間接的に得るようになったわけですが、そうした金銭は山や川と違って使い切ってしまえばあとの代には残りません。

そういえば、徳山村の「カメラばあちゃん」として有名だった増山たづ子さんが撮った山の写真を見たことがありますが、けっこうハゲ山に近かったなぁ。

――戦後に製紙会社などが入って留山以外は切り尽くしてしまったようです。薪炭の生産や林業を行っていた農村や山村は、ずっと都市部のエネルギーや建材の供給源だったわけですが、こういう山村などにあった立ち入りを躊躇させるような山姥や天狗、神隠しなどの恐ろしい言い伝えは、過度な開発へのバリアのようなものとして機能していたと考えてもいいのかもしれません。山の樹木の数を山の神が数える日があって、その日は切ると良くないことが起こるという伝承もありますし。

森林には神が鎮まるという信仰が古くから日本にはあって、中でも鎮守の森の樹木は、みだりに切ってはいけないことになっていましたが、それには、資源保全という側面だけでなく、生存に必要な水源となっている泉や川を含む森林を守るという意味もあったのかもしれないね。四国の四万十川上流にも、不入山(いらずやま)という源流点に当たる場所がありますよ。

そういえば、以前NHKの番組で、三陸でカキの養殖をしている畠山重篤さんと対談する機会があったのですが、彼は「森は海の恋人」という信念のもと植樹をして森林を育てていました。なぜかと言うと、樹木は落ち葉を作り、地中にしみ込んだ雨水が鉄分やミネラル、植物性プランクトンなどの有機物を含んで山から川となって海へと流れ出て、それを食べる動物性プランクトンが魚に食べられて豊かな海に繋がるという循環が重要だという考え方があるからです。

――人の手が入った沿岸の海を「里海」と言いますが、里海のカキの養殖筏には、海藻やイソギンチャクなどの生物がくっつき、その下は餌場になってたくさんの魚が泳いでいるそうです（井上恭介・NHK「里海」取材班『里海資本論―日本社会は「共生の原理」で動く』KADOKAWA／2015年）。つまり、人の手が入ることで生物多様性が豊かになっているとも言える。人為を加えずに放置して自然だけに任せることがいわゆる「自然保護」だと思われがちですが。

カキは、水槽に入れておくと泥水でもあっという間にプランクトンを濾しとって綺麗に濾過しまうような浄水能力を持っているから、沿岸部のスカベンジャーのような存在です。要は、山も海もその間の平地もそれぞれが独立しているわけではなくて、全部繋がっているということです。

――そういうサイクルの全体像をより広い目、長い目で見ていくためには、写真は適していますね。写真の寿命は人間の寿命よりもずっと長いですし、人間の目が見過ごしてしまう細部まで一挙にとらえて残してしまいますから。記念写真の背景として写っている山の状態が今見ると興味深い資料になっていることだって多々ある。写真や森林の長い時間軸を基準に考えれば、江戸時代もそれほど遠い過去ではないかもしれない。

そう考えると最近ですよね。自然も数十年、数百年の単位で見ていくと大きく変化していることが分かる。できることなら千年くらいのスパンで自然がどうなるか見てみたいなぁ。今となっては想像しにくいでしょうが、かつては日本全国の村の背後には、奈良の若草山に近いような草山がたくさんあったはずです。若草山は、草肥などを作るための山焼きによるものですが、あのあたりは、何度も都を造営しているし、寺院や住宅が集中していた場所ですから、樹木は建築材料としても生活燃料としてもどんどん切り出されて、禁伐になっていた場所以外は、ハゲ山状態に近かったようです。京都周辺にかつて広がっていたハゲ山のことは、『絵図から読み解く人と景観の歴史』（小椋純一著／雄山閣出版／1992年）で読んだことがあって、膨大な絵巻や屏風から過去の植生を読み解いていく手つきがすごく面白かった。

——日本の古代の遷都の理由が都市住民の燃料の確保だったという説もあるぐらいですし、古代文明があった場所も砂漠化が進行していますから、文明の存在自体が森林を酷使するのでしょう。江戸時代の浮世絵でも、鬱蒼とした豊かな森林よりは、ハゲ山やマツがまばらに描かれているものをよく見ますが、あれは省略や抽象化な描き方なのではなく、実際にそういう風景が広がっていたということのようですね。

アカマツは、他の樹木が育ち得ない乾燥した瘦せた土壌で勢力を保つ植物のひとつです。アカマツの根元に生えるマツタケは、豊かな土壌ではほかの植物に負けてしまって育たないから、マツタケを育てるためにわざと積もった腐葉土を除けておいたりするようです。

――アニメ映画『この世界の片隅に』（片渕須直監督／こうの史代原作／2016年）で主人公が松林で松葉を拾い集めて燃料にする印象的なシーンがありました。枯れ落ちた松葉というのは可燃性の樹脂を多く含んでいるから、焚きつけに使えたのですね。人里近くの落ち葉は、そういうふうにインターセプトされてきたので、森林の土壌は、人が密集している場所から遠い奥山の方が豊かになり、近いほうは貧弱になる。

森林が作る腐葉土は、歩いてみると分かるのですが、フワフワ柔らかくたくさんの隙間があってそこに多くの空気や水が保持されているから、表土を守って土壌流出を防ぐ役割がある。江戸時代には河川の下流域で洪水や土砂災害が頻発したようですが、この近くを流れる天竜川も「暴れ天竜」と呼ばれるほどだったみたいです。

――天竜川から流出した土砂と風によって形成されたのが、遠州灘の浜岡砂丘ですから、そのすぐ東側の軟弱な地盤の上に浜岡原発が建っていることになります。あのあたりは、「遠州の空っ風」と呼ばれる強い西風が吹くために防風林や防砂林がたくさんありますが、江戸時代には、防潮林、防火林のような生活を守るための森林が全国各地で作られました。

江戸時代やそれ以前の村では、近隣の森林というのは、日常的に人々のあいだで管理され、燃料や牛馬の飼料、農地の堆肥の供給地になっていて、そこを含めて生活圏だった。そういう意味では、里山林が荒れているのは、どちらかといえば昔のほうで、今は森林自体がかつてないほど拡大しているはずですが、さっきも言ったように同じ種類の木だけが密集している「不自然」な森林も多いため、その質は別にしての話になってきます。経済的な効率を優先してこれまで画一的な森が作られてきましたが、今後もしこれから次の産業として植物を原料とするセルロースナノファイバーの時代が到来すれば、全国の山が再びハゲ山状態になることだってあるかもしれません。

――今は有意義な資源だと認識されていないものでも、資源だと意識された途端に多くの人の中で存在し始めるのですね。ウランやアルミニウムなどもそうでしたけど。

歴史的に森林が酷使されてきた裏づけを今でも確認できるのは、山陽新幹線の車窓から拡がる神戸あたりから広島に行くまでの中国山地の状態です。あの周辺の山は、まだ再生途中にある感じで、比較的若い樹木が多く見られるけれど、その成長時間を考えれば、以前はどのような環境にあったかがだいたい想像できます。おそらく明治時代くらいまで森林が酷使されて今でもその回復が追いつかない状態なのではないかと思います。

――江戸時代から明治中期あたりまで中国山地は、日本一のたたら製鉄の地で山間には村もたくさんあったようですから、薪炭としてだけでなく、肥料や飼料、砂鉄採取のために絶え間なく森林が酷使されていたと思います。宮崎駿の映画『もののけ姫』は、島根県の菅谷たたらをモデルにしたたたら場が舞台になっていますが、あれも砂鉄のために山を削ったり、木を切ったりする人間に対して山の動物たちが怒って攻めてくるという話ですよね。ラストはシシ神が死んでハゲ山に芽が吹くというシーンです。

あっちの宮崎さんもよく調べてますね（笑）。カイコを飼育するための温度管理が必要な養蚕業や海水を煮詰める製塩業にもたくさんの薪炭が必要でしたから、工業と農業だけでなく、人間の生活を支える最大のエネルギーの供給地が森林だったわけです。中国地方は風化が進みやすい花崗岩地質が多いし、降水量も少ないですから、森林が貧弱になる要因がもともとあります。

ほかには、東北新幹線に乗って東京から盛岡あたりまで冬に車窓から山野を見たときのことが印象に残っています。樹木がまだ小さかったり、伐採されたようなところは、雪が積もって真っ白くなるのですが、車窓から見える山の多くに黒々と樹木が生い茂っていて白くパッチ状に見えるところはすごく少ないことに気づきました。これは、森林が豊かな状態にあることを意味していて、あのあたりは、歴史的に人口密度が低かったり、雪解け水に恵まれたりしたために森林のダメージが最小限にくい止められていたのかもしれない。新幹線は、短い時間で何十キロメートルという距離を移動しながら風景を見せてくれるから、森の作りや樹木の成長の様子を遠見することができてすごく面白いですね。

――東北地方は国有林の占める面積が多いようです。江戸時代の飢饉の際には、藩が救済のために一時的に留山を解放する御救山（おすくいやま）という制度があって人々は山に入って食料を採取したり、森林資源を換金したりして飢えをしのいだようです。いよいよとなったら禁伐によって守られた山に入るという術が残されていたのですね。常に飢饉の危機と隣り合わせだったのですから、食べられる山菜類やキノコについての知識は、共同体が生き残るための重要な遺産で、森林が人間の生活や生命と分かちがたく結びついていました。今は森林が豊かになったとしても、動植物についての知識や技術の方が貧弱になってしまった。

ところで、伊那谷のあたりでは、森林の変化に伴ってそこをすみかとする動物の分布なども変化してきていますか？

自然を観察し続けてもう半世紀近くになりますが、山の動物相を見ていると、環境の変化は、ある動物には有利に働き、ある動物には不利に働くといったことが周期的に繰り返されていることが分かってきました。１９６０年代半ばごろには、ある林道を車で走ると、ノウサギがたくさん跳び出してきて、多いときには10キロメートル間に数十羽にもなったぐらいです。そのころは国の拡大造林政策によって植えられた幼い木が多かったので、草原を好むノウサギが激増していたのに、だんだんと無人カメラに写らなくなり、30年も経つと同じ林道でもまったく遭わなくなった。そして、幼木の生長とともにニホンカモシカやニホンジカが交代して増えていきました。ノウサギは「脱兎の勢い」というくらいで、天敵を見つけると一瞬の瞬発力で逃げる動物なのですが、下草の多い見通しが悪い森林では、動きにくく生存には不利に働いてしまったのだと思います。

1966年に山野の砂防工事に出かけている作業員たちから「幻の動物」と呼ばれたニホンカモシカが出ると情報を得て現地へ行ってみたら、見渡す限りの広大な伐採地で、大きな樹木の切り株がいたるところにありました。その山肌に背丈が50センチほどのカラマツの苗木が植えられていて、まさにこれから大規模な人工林に育てようとする造林地になっていました。そこは、事前に想像していた自然豊かな環境とはまったく違っていて、いわゆる「自然破壊」が猛烈に進んだ現場でした。それで切り株に腰掛けて弁当を食べようとしたら絶滅寸前とまで言われたニホンカモシカがすぐに目に入ってきていささか拍子抜けしてしまったことを覚えています。そのあとも6年ほどニホンカモシカを追跡しましたが、見ない日はなくて、多い日には17頭もまとまって伐採地にいたこともありました。

――なぜ幻の動物とまで呼ばれたニホンカモシカがそれほど頻出していたのですか?

観察しながらしばらく考えたのですが、どうやらそこが餌場になっていたからだと思います。つまり、巨木の繁る森林を皆伐したことで、一旦リセットされた山の地表面がリカバリー状態になって、多種多様な植物たちがこぞって競争するように生えてきた。そして、それがニホンカモシカの豊富な餌となり個体数を増やしたのだと思います。それまで大木から発せられ、発芽を抑制していたフィトンチッドなどの物質が出されなくなったため、土中でチャンスを待っていたさまざまな植物の種子が一斉に発芽することに繋がった。

――このあいだ、アメリカで発掘された土器から800年以上前の種が発掘されて、育ててみたら絶滅したはずのカボチャの一種だったというニュースを見ましたが、植物の種は発芽に適した環境になるまで何十年、何百年も、たとえ地上でその種が絶滅しようとも待てるのですね。人間が地面を掘り起こしたことが植物の発芽に繋がったわけで。

だから人間の引き起こす「自然攪乱」が、植物や動物たちにとっての試練と発展のきっかけになることがあるのですよ。一見自然破壊と思われるような樹木の伐採によって発芽してくる植物をニホンカモシカは、歓迎していたわけだから。このことで僕は、それまでの自然破壊の概念を変えさせられました。1960年代の国の拡大造林政策は、ニホンカモシカやニホンジカの激増に繋がっていったと僕は見ているのですよ。

――森林伐採というひとつの要因で衰えるものと栄えるものとがあって、それが広大な国有地で国策として大規模に行われたために必然的にその影響も大きくなってしまったということですね。

最初にニホンカモシカを撮影してから6年も経過すると、標高の高いところで増えた個体

〈ノウサギ〉長野県、1975年

〈ニホンカモシカ〉長野県、1975年

がそれまで生息すらもしてなかったような平地の山野にも下りてきて普通に見られるようになったので、撮影も止めました。こうして幻の動物を目にするのは、一般の人にとってもそれほど珍しいことではなくなってしまいました。当時、せっかく植えたヒノキの幼木をニホンカモシカが食べてしまうということで社会問題化していたのを覚えています。

伐開地では、植林されたカラマツが5〜6メートルにも成長して、それと同時に実生で密生してきた植物群落もカラマツと背を並べるくらいに成長していくものと、背丈の低い植物などは種間競争に負けて消えていく樹木とに分かれました。ニホンカモシカはキリンのように首が長くはないので、いくらおいしい樹木があっても高いところにまで届かず、だんだんと観察できる個体も減っていったように思います。

——まさに自然と個体調整が起こったのですね。

ニホンカモシカは激増期を経て数が落ち着いていきましたが、ニホンザルとツキノワグマは、別です。70年代には、クマなんてまったく写らなくて、一生撮れないのではないかと思ったこともあるくらいなのに、今では同じ場所で異なる個体がバンバン無人カメラに写るようになって、かなり身近な動物になってきました。駒ヶ根ではニホンザルの増え方も尋常じゃないのですが、それは樹高が30〜40メートルになったことで、人工林ではあっても地上から樹上まで森林を立体的に使って餌を得られる動物たちにとって有利な環境となったということなのだろうと思います。

――劇的な変化ですね。西日本は、ツキノワグマが少ないと言われていて、京都府ではツキノワグマを絶滅寸前種に指定していますが、最近は目撃情報が多いようです。

岡山県でも無人カメラにたくさん写りましたね。行政が言っている推定数と現実の数は、大きくずれていると思いますよ。ツキノワグマが全国にいったい何頭いて何頭以上になったら余剰部分を間引き、何頭以下になったら厳重に保護をする、そのような基準となる数字を早く出さなければいけないと思います。無意識・間接的な餌付けの時代がやってきているのですから、そのことがまず必要なのです。

――動物の数というのは、あくまで推定数しか出せないわけですから、そこに希望的観測が入らないようにする必要がありますね。

ところで、宮崎さんの子供のころというのは、家の近くの山の様子はどうでしたか?

僕が育ったのは、長野県の中川村という典型的な中山間地の里山でしたが、そのころは、背丈が1メートルくらいの樹木が生えている山が多く、どこもかしこも見渡すことができました。このため、地表部分はいつも乾いているところが多く、地上に営巣するヨタカがたくさんいたことを覚えていますね。もちろん雪が降ればノウサギの足跡がどこでも見られたし、夏にはノウサギの糞があたりまえのように転がっていました。

――まさに「兎追いし彼の山　小鮒釣りし彼の川」の世界ですね。

しかし、「故郷」で唄われているような風景が半世紀もしたら一変しました。樹木は見事に成長し、しかも密生しているので、山に入れば樹木で視界が遮られて遠望なんてまったくできない状態になりました。あれほどいたノウサギも一時期まったく見なくなりましたが、森林を優占種が占めるようになり、林床にある程度隙間ができて移動しやすくなるにつれて少しずつ復活し、数も安定的になってきました。要は、森林の環境の変化によって動物たちも盛衰を繰り返しているということですね。こうした観察から樹木の成長というのは100年単位で考えなければならず、そこに生きる動物たちの寿命とは、時間軸がまったく違っていることを教えられました。

――近年、日本の森林が深くなってきた理由は何でしょうか？　もちろん地域差がありますから一概に「日本の森林」とは言い難いのでしょうが。

大まかに言えば、1960年ごろの化石燃料によるエネルギー革命の影響が大きいでしょうね。明治期以降、燃料の中心は石炭にとって代わられて、戦中も建築材だけでなく飛行機のプロペラや機体用に伐採されましたし、物資が底をついてからは、松の根まで掘り起こして油を採るなど戦争継続のために酷使されてきました。戦後も焼け野原になった街の復興の

〈ニホンカモシカ〉長野県、1976年

〈ニホンカモシカ〉長野県、2016年

ために木材が必要とされ、相変わらず山は荒廃していたと思いますが、ガスや石油、電気が普及して便利な生活が享受できるようになり、化学肥料も広まると生活の中でかつてのように森林が使われなくなりました。

――僕は日常生活で必要なものを採りに森林に入った経験はありませんが、生活だけでなく、化学肥料の普及によって農業と森林との有機的な繋がりも減っていったわけですね。

1950年に「荒れた国土に緑の晴れ着を」をスローガンにした皇族が出席する全国植樹祭が始まりますが、そういう行事が必要なほど戦争を経た山が荒廃していたということになりますね。

幹が真っすぐで使いやすく生育が早いスギをはじめ、ヒノキやカラマツなどの針葉樹の人工林が60年代に全国各地に増えました。のちに輸入材が増えて国内の林業が衰退した結果、多くの森林が放置されて今に至っています。

――国民の4人に1人が発症しているという花粉症は、利用されなくなったスギなどの人工林が引き起こしているとも言われていますよね。そうしたアレルギーは、既存の人間の免疫システムと環境の急激な変化のあいだで生じる齟齬によるもので、人間の文化や技術の急激な変化に体や遺伝子のほうの変化が追いついていかないということに原因があると言えます。僕も重度の花粉症ですが、くしゃみや鼻水などの症状を抑える対処療法しかできていません。花粉症患者が増え始めたのは60年代以降で、高度経済成長期や拡大造林の時期ともに一致しています。

一種の文明病ですね。本来免疫機能は人体に有害なものを攻撃したり排除したりするのですが、そうしなくていいものにまで過剰反応してしまっている状態でしょう。しかし、もし花粉症になったら今のような山での仕事はきついなぁ。

——西洋が「石の文化」で日本は「木の文化」とよく言われますが、日本の豊かな森林や木の文化は、今や外国の森の消失に支えられている部分がありますね。今や生活用品の多くがプラスチックになっていて、「木育」という言葉が注目されるほど子供にとっても身近なものではなくなっています。

木目をプリントした木製品もどきはたくさんありますけど。その意味では僕の子供時代は、木造の家が当たり前でしたし、遊びもずっと木育状態みたいなものでしたよ。火事防止のためにトタンや瓦の屋根が推奨され、だんだんと屋根葺き職人も少なくなっていきました。そういえば、いつの間にかスギの電柱もコンクリートに変わったなぁ。

——高度経済成長やバブル経済は、山間部の若い働き手を都市部へと大量

〈国際結婚斡旋所の看板〉長野県、2014年

に送り出しましたが、そうした人口バランスの変化は、森林にどのように影響を与えているのでしょう?

田舎の嫁不足は深刻で、地元でも困っている人がけっこういます。今では少なくなりましたが、バブル期には中国や東南アジアの女性との結婚を斡旋する業者の看板がよく立っていました。都市部への人口流出や核家族化にともなって田舎に残された年寄りだけでは、自然を管理しきれなくなってきているのが現状です。全国各地で家屋が森林に飲み込まれ始めているような風景も珍しくないですよ。こうして自然と人間との均衡が崩れてしまうと山の神が民家のすぐ軒下まで来てしまうことだってあるのです。

——生活から経済のための森林へとシフトし、山村の共同体が崩壊していく過程で山の主が山の神から、製紙会社や電力会社、国などに変わっていったと言えるかもしれません。長い時間軸で動く森林の個人レベルでの維持・管理は、難しいでしょうし、祖先のおかげでとか子孫のためにという精神がなければ余計にそうなる。

長いスパンで考えなければいけない林業は、そもそも今のビジネスモデルとしてはなかなか厳しいかもしれないね。

——地域コミュニティーが成り立たないような「限界集落」が問題化して久しいですが、

太平洋側の都市に人口を集中させてきた戦後日本の国家デザインの結果なのでしょう。

宮崎さんの『となりのツキノワグマ』（新樹社／2010年）では、植物相の変化に伴う動物相の変化がテーマになっていて、クマと人間との棲み分けの構造がこれまでと変わってきたために大型の野生動物がすぐ隣まで迫ってきていることが指摘されていましたね。

クマが人里近くに下りてくる原因として、針葉樹林が増えすぎて実のなる植物が減ったからだとよく報道されますが、実際には植林地内の植物群も多種多様にあって、果実が実るヤマブドウやマツブサ、キイチゴ、サルナシなど餌になる植物がたくさん繁茂しているし、林床部にはハチやアリの巣などクマの好物もあちこちにある。植林地は下草も刈られず放置されてきたから、サルやクマの好む餌ばかりとなっているように見えます。駒ヶ根のサルの群れは、60年代と現在では個体数は3倍近くにもなっています。森を立体的に使える動物に有利に働いているのでしょう。

――自分の歩く目線だけに注意が行きがちですが、上下にすごく広い空間が広がっていることは見落としがちかもしれません。奥山に

上〈ヤマブドウ〉長野県、2007年
下〈クルミの破片が入ったツキノワグマの糞〉長野県、2007年

〈ニホンザル〉長野県、2013年

〈間伐後の人工林に現れたツキノワグマ〉長野県、2010年

動物が多かった時代から里山のほうに生息域がだんだんとシフトしているわけですね。

糞や食痕を見れば分かることですが、クマはドングリやクリばかりを食べているわけではなくて、好きなものを選んで食べています。これだけ餌が豊富でほかの動物が軒並み増えているのに、クマだけが減っているとはどうしても思えない。人間がクマに遭遇する事件や人里で痕跡を見る回数も以前よりも桁違いに多くなっています。

――昔から山の作物の豊凶は繰り返されていたわけですから、最近人里へ出没する動物の話とは別に考えたほうがよさそうですね。

数百年前、数十年前よりも今のほうが圧倒的に森林は豊かになっているということだと思いますよ。一般的には、森林は昔のほうが豊かだというものでしょうが、先入観による大きな誤解で、山の森林に限定していえば、「今は昔に比べて自然破壊が進んで……」とは簡単に言えない部分がある。緑の少ない都会にいる限りは、そのように思えてしまうのかもしれないけれど、同じ場所に長年住んでいるとだんだんと森林が深くなり、人間の山への進出線が後退しているのは、ひしひしと感じます。そのことは、70年代の山の写真と今とを比べてみると一目瞭然です。同じ場所で撮った2枚の山の写真があるのですが、かつては小さかった木が成長して今では向こう側の山が見えにくくなっていることが分かります。こういう写真は、長い時間が経っても腐らないのです。だから、近視眼的な撮り方ではなくて長いスパンでの定点観測というのは、必要な作業だと思うのですよ。2枚の写真を並べてみると、1970年の撮影現場では、植林されたカラマツがまだ貧弱な状態ですが、その同じ場所が40年近く経ったら立派な木になって密生している。

――40年越しとは、まるで林業みたいなスパンの写真ですね。何てことのない写真が漬物みたいに深みが増している。写真家のビジネスモデルとしては破綻していますが(笑)。

20代で撮り始めても発表できるころには、60代だからね。そういう長期的な視点で撮られた写真があれば、日本の森林がどんどん深くなってきていることが一目瞭然のはずですけど。

――以前、国内便の飛行機の窓から下を眺めていたら延々と深い森林が続いていて驚きました。人間が住んでいる場所は川が作った扇状地がほとんどで、列島の中心部は深い森林。森林は豊かですが、そのエッジの部分である里山では、人間の側が森林に押されてきているのですね。里山林を含めて里山と呼ぶとすると、以前は一体だったはずの里と山が切り離されてしまって、今は「里/山」になっているような感じかもしれません。

「縄文里山」という言葉もあるようで、青森県の三内丸山遺跡にあった集落では、クリ林が人工的に維持されていたことが分かっているようです。縄文時代から森林を継続的に使ってきた日本人の歴史の中で例外的な時代が到来しているのかもしれません。

〈山の斜面①〉長野県、1970年

〈山の斜面②〉長野県、1970年

〈山の斜面①〉 長野県、2008年

〈山の斜面②〉 長野県、2008年

最近驚いたのは、クルミの木が全国各地で猛烈に増えていること。長野から秋田まで国道や市町村道を走った際に、道路沿いもびっしりとクルミだらけだった。おそらく放置林の影響が大きくて、リスやネズミなんかが種をあちこちに運んで増えたのかなと思います。そういう小動物は、隠して保存したつもりが、忘れてしまってそれがあとから芽吹くから、植物にとっては、都合のいい種の散布者になっているのです。しかし、固いクルミの実が道路で跳ねてフロントガラスに当たったらかなり危険だよ。

——そういえば、このあいだ名古屋から東京に向かって新しく開通した新東名高速道路を走っていたら浜松に入る前から御殿場ぐらいまで「シカに注意」の看板や電光板がほとんど途切れることなく出続けていました。

静岡県はシカが相当増えてるみたいです。全国各地のそういう看板だけ見ていっても面白いですよ。

高速道路で全国をまわっていてほかによく目につくのは、山の斜面でぽつんと畑や家が孤立しているようなところですね。わずかな平野しかない場所では、食糧難のときには、国内外へ移民をしたり、山の斜面を拓いて段々畑や棚田にして工夫しながら農作物を作ってきました。しかし、地域から人間が減ると耕作放棄地が増えて、すぐに草木で鬱蒼としてくる。そして、残された畑には、動物たちが農作物を狙って集中的に

〈アカネズミ〉長野県、1982年

来るためにまわりを手作りの柵などで囲ってその中で年寄りが農作業をしているという状態が、中山間地のひとつのパターンになっています。檻のように囲われた中で人間が農作業をしていて、一体どちらが閉じ込められているのか分からない。

——人間が島状の飛び地に孤立する事態が起こっているのですね。弥生時代以降、日本人は農地を開拓して森林や山に動物を追い詰めてきたはずが、今度は人間の側が森林に押されてかつての生活の場が動物に占有され始めているのかもしれないですね。

人圧がかつてないほど弱くなってきているのですよ。人が山に入る機会だけでなく壮年期の若者たちが里山から少なくなったことで、防衛力が低下してしまい、動物を誘引する要素が人間の近くにあるにもかかわらず、動物を遠ざける要素が少なくなっているのです。

——森林が過去になく「豊か」になったことで、土砂の流出が減るというポジティヴな面と獣害が増えるというネガティヴな面の両方が出てきているわけですね。

『森林飽和―国土の変貌を考える』（太田猛彦著／NHK出版／2012年）の中で、森林が酷使されていたころは、それによってさまざまな水害が起こり、河川から流れ出た土砂が沿岸部で砂浜を形成していたけれど、今は「森林飽和」になって海岸線の後退が起こっているという説が非常に説得力がありました。

〈山の斜面の囲われた畑〉兵庫県、2003年

〈獣害フェンス内での農作業〉長野県、2007年

あの本は面白かったね。日本三景のひとつの天橋立の砂州が、山の砂防工事の影響で砂の流出が抑えられてどんどん痩せていっていると問題視されているみたいですね。日本を代表する松林の景観も、人間と自然のバランスの中で長い時間をかけて形成されてきたもので、それが大きな曲がり角にきているのでしょう。

――いわゆる里山の景観は、人圧と自然圧とが拮抗してできた混合的なもので、人間が長らく暮らしてきたからこその歴史的な経過が反映された景観だと言えます。われわれは、ある程度管理された自然になら安らぎを覚えるけれど、あまりに荒々しかったり、草木が密生し過ぎていて見通しの悪かったりする場所には不安を覚えてしまう。漢語の「自然」という言葉は、「人為がない」という意味ですが、里山というのは、人間の生活様式がもたらしたものですから、人為に対立する西洋の「nature」という言葉とは、少しずれてくる。つまり、里山は、ある種の自然破壊によって出来上がった人工的、二次的な自然で、人間の営みと自然との調和の結果だと言えるでしょう。アマゾンの熱帯雨林にも建材や食料になる植物が先住民の集落近くに植えられているようなので、ある種の人工林であり里山的な環境だという見方もできる。

だから、「里山の自然を守ろう」というのは、言葉としてちょっとおかしい。

――そうですね。人圧が弱まってくると自然圧に押し戻されて里山が「荒廃」する。そうした荒廃、言い方を変えると自然による里山の包摂によって動物との物理的距離が近くなり、動物側の人間への怖れも薄れてきてしまうのですね。

今は狩猟圧も有史以来と言っていいほど低くなっていますからね。地方都市近くの山に登ると夜の街の明かりもはっきりと見えますし、街の音も聞こえてきます。そうした音や光は、寿命の短い動物たちにとっては、生まれたときから体験している、自然の環境になってしまっています。人間や人工物をまったく怖れない新世代がどんどん生まれる一方で、逆に人間の側は自然に対して無関心になってきています。人間社会の変化を敏感に察知した動物たちがこちらの無関心をいいことに、だんだんと接近してきているのです。動物と人間との境界線は、われわれが思っているよりもずっと手前にあることを認識しないといけない。

『写真ルポ　イマドキの野生動物―人間なんて怖くない』(農文協/2012年)にも書いたのですが、傍若無人な「イマドキの野生動物」を作りだしている原因の一端は、「イマドキの人間」にもある。自然や動物たちへの意識が希薄化するにつれて、人間たちがだんだんとナメられるようになってきてしまったのです。今や心理的なディフェンスラインが機能しなくなっていて、動物たちはわれわれの意識の外で大胆不敵に行動し、人間と自然との心理的な距離の隙間にうまく入り込んできているのですよ。

――動物が「傍若無人」になるのは、言葉の通り、緩衝地帯になっていた里山の無人化の影響があって、動物との心理的な距離が広がっているのに、逆に物理的な距離が縮まっていることが、獣害の大きな要因のひとつになっているということですね。

かつてはキツネやタヌキに化かされたという話が沢山聞かれたぐらいですから、人間と動物との心理的な距離や立場がある程度近かったということでしょうが、今そんなことを言ったら笑われるでしょう。でもタヌキは、漢字で獣偏に里と書きますから、昔から人間の近くにいた動物なのです。

——自然に対する畏怖や慎みのようなものも、大きな自然災害があると一時的に思い出したりもしますが、日常の中では、忘れてしまっている気がします。本来動物というのは成功体験よりも生存に関わる失敗のほうを強く記憶するようにプログラムされていないといけないはずですが、原発再稼働のニュースなどを耳にするにつけ、人間の動物としての本能はどうなっているのかと思ってしまいます。寺田寅彦は忘れるということが「人間的自然」だと言いましたが、近年は、ネット社会の影響もあってか、そのスピードがどんどん早まっている気がします。

まさに「天災は忘れたころにやってくる」ですね。最近、山菜採りや散策中の人が動物に襲われる事件が全国で多発してニュースになっていますが、悲しいかな、そういう痛い目に遭って初めて気づくわけです。豊かな自然環境というのは、クマやスズメバチ、マムシなどの危険とセットになっていることを忘れてはいけない。「クマが出た」などと言われるけれど、それは「クマがいた」のであって、そもそもそこが彼らの生息域なのですよ。

2000年代初めにツキノワグマが増えていると僕が言い始めたころには、「そうではない、絶滅危惧種だ」と専門家たちに散々言われました。それから10年も経つと、僕の意見を肯定し始める人たちがほんの少しずつ出てくるようになった。そして、おそらく20年目になるとツキノワグマが増えていることにみんなが気づき、やがて絶対肯定となり、30年目には、ツキノワグマは普通に数多く生息している動物だというのが周知の事実となって、増えていることを議論すること自体が古臭く思える人が多数になると思います。この流れはニホンカモシカのときもオオタカのときも同じでしたから、日本社会も自然を見る目も数十年前と変わっていないということだと思いますね。

——それが「人間的自然」なのでしょうね。そんな人間を尻目に動物たちはどんどん生息域を広げてきている。われわれが動物のことを学ぶよりも動物たちのほうがこっちのことを学んでいるのでしょう。

里山林が貧弱だったころというのは、もし大型動物たちが山から下りてこようとしたら、彼らの生息域と人間の生活域のあいだに広がっている広い野原やハゲ山なんかを通ってこなければならず、猟師やイヌに見つかるリスクを冒さねばならなかった。でも今では、山と繋がっている林や手入れの行き届いていない茂みなどを利用すれば、伊那谷でも大型の動物が

〈イノシシ〉長野県、2013年

〈中央アルプス・南駒ヶ岳と伊那谷〉長野県、2008年

簡単に人家近くまで来ることができる。全国にそういう場所が増えているのですよ。

――減反や耕作放棄によって下草刈りもしていない藪が増えていますからね。かつて動物と人間とが空気を読んで里山で合わせないようにしていたのに、動物の側が空気を読んでどんどん侵出してきている。

本来奥山にいたような大型動物が、里山の過疎化によって今やお隣さんになってしまっているわけだから、あちこちで獣害が頻繁に起こるのは、ごく当たり前のこと。人間が森林から遠ざかった一方で、動物たちは、確実にこちらに接近してきているのです。このままでは獣害は減らないどころか増える一方でしょう。

僕は生まれてから今までずっと伊那谷に住んで、多くの写真は、地元で撮影してきましたが、地域独自の問題と普遍的な問題とを両方発信しているつもりです。

――さまざまな人間関係がある地元で出る杭になって活動し続けるというのも、なかなか大変なことだと思います。観光地でクマが出るなんて営業妨害だとクレームをつけられてもおかしくないですから。

まさに「知らぬが仏」で、そんな事実は「知らないほうがよかった」とか、「余計なことをして」なんて言われることも多々ありますよ。

――不都合な現実を直視するというのは、簡単なことではないですが、写真という「動かぬ証拠」が、人間の側に森林がどんどん迫ってきていることを突きつけてきます。

これまで日本の自然は滅びるとか、野生動物もどんどん滅んでいくというような悲壮な意識が日本中に蔓延していたけれど、それは高度経済成長時代期に人間があまりにも強引傲慢に自然開発をしてきたことへの不安や反省などから、自然保護という気持ちが芽生えてきたのだと思います。しかし、現実の自然というのは、人間が考えるほど弱くもろいものではなく、あくまでも人間の心理とは関係なく自然界の摂理にそって淡々と動いているのですよね。自然破壊のように見える行為を喜ぶ動物たちもいれば、そうでない動物たちもいる。自然が荒廃しているように見えても、見方を変えれば豊かになっているとも言えるわけで、動物たちはそういうふうに複眼で物を見ることを僕に教えてくれました。

僕の使っている無人カメラは、樹木の視点を借りているようなところがあって、そういうアングルから見ると人間の世界も普段とは違った形で見えてきます。人間の時間軸とはズレた無人カメラで撮られた写真は、自然を冷静に読むためのヒントをたくさん与えてくれます。

今われわれは、これだけの「森林大国」に暮らしているのですから、そこで起きている現実を直視し、理解しながら人間や経済の物差しだけでなく自然の物差しを視野に入れた文化や生き方を構築していく必要があるのではないでしょうか。

おわりに

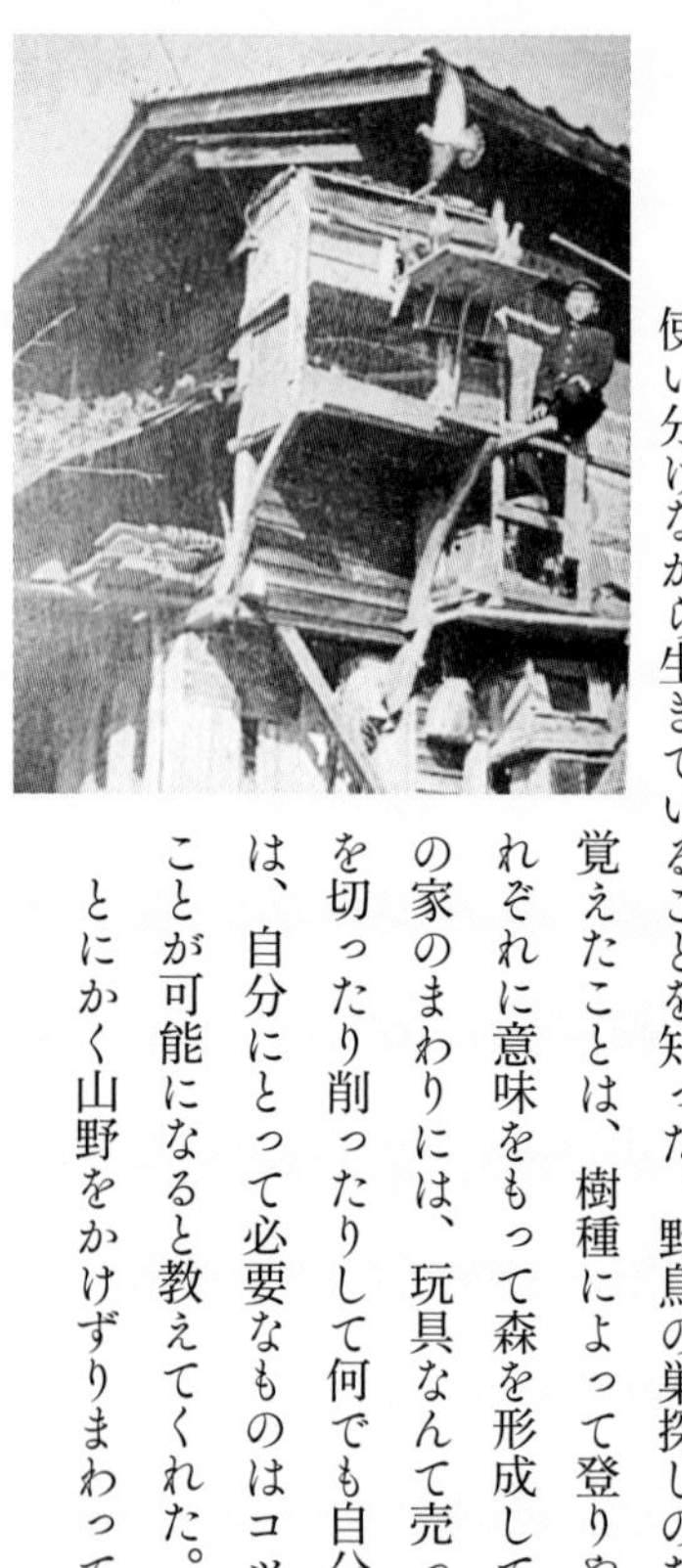

いわゆる団塊の世代として戦後の復興期に生まれた僕は、両親が共働きで、5歳くらいから「鍵っ子」だった。長野県の南部の山村には、そもそも鍵をかけるような家はなかったが、いつもひとりで家に残された僕は、鍵っ子とは名ばかりで、遊び場と言えば近所の山や田んぼや畑だった。ここでひとり遊びを覚えた僕は、野鳥や昆虫などの自然に生きる小さな生き物が友だちだった。とりわけ、野鳥には興味があり、彼らがいくつもの言葉を使い分けながら生きていることを知った。野鳥の巣探しのために木登りもした。木登りで覚えたことは、樹種によって登りやすい木や危険な木があり、それぞれに意味をもって森を形成していることだった。もちろん僕の家のまわりには、玩具なんて売ってはいなかったから、木や竹を切ったり削ったりして何でも自分で作った。こうした幼児体験は、自分にとって必要なものはコツコツと努力すれば手に入れることが可能になると教えてくれた。

とにかく山野をかけずりまわって遊ぶことだけが大好きだった

ので、学校の勉強には興味がなく、中学を卒業しただけで社会に飛び出した。当時は「金の卵」と称されて学歴のない者は安い賃金で労働力になると企業は大喜びだった。悔しかったが、仕方がなかった。そんな僕が勤めたのは、カメラのレンズや部品を作る下請け会社だった。ここで僕は突然カメラに目覚めてしまったのである。そのころのカメラは超高級品で、僕などには触ることもできなかったのだが、いきなり仕事で手に持つことができるようになったからだ。僕はカメラにどんどんのめりこみ、人間が作りだす技術の凄さに感動しながらメカニカルな仕組みへの理解を深めていった。

しばらくして、上京していた5歳上の兄から、「俺は写真学校に行く」との手紙が届いた。カメラに熱を上げていた僕は、そんな世界があることを初めて知り、自分は動物写真家になってやる、とそのとき心に決めたのだった。兄は写真学校に行くようだけれど、僕は地元にとどまることにして、その代わりに月謝分をフィルム代に当てて独学で勉強することにした。それは、僕の目指す道というのは、学校では学べない世界だということと、自然のことは子供時代既に勉強しているのだから、残りの技術は自分で極めればよいと考えたからだ。

そこで、17歳のときに写真家になるのであれば難しいテーマに挑戦したいと思い、ワシとタカの撮影に挑んだ。

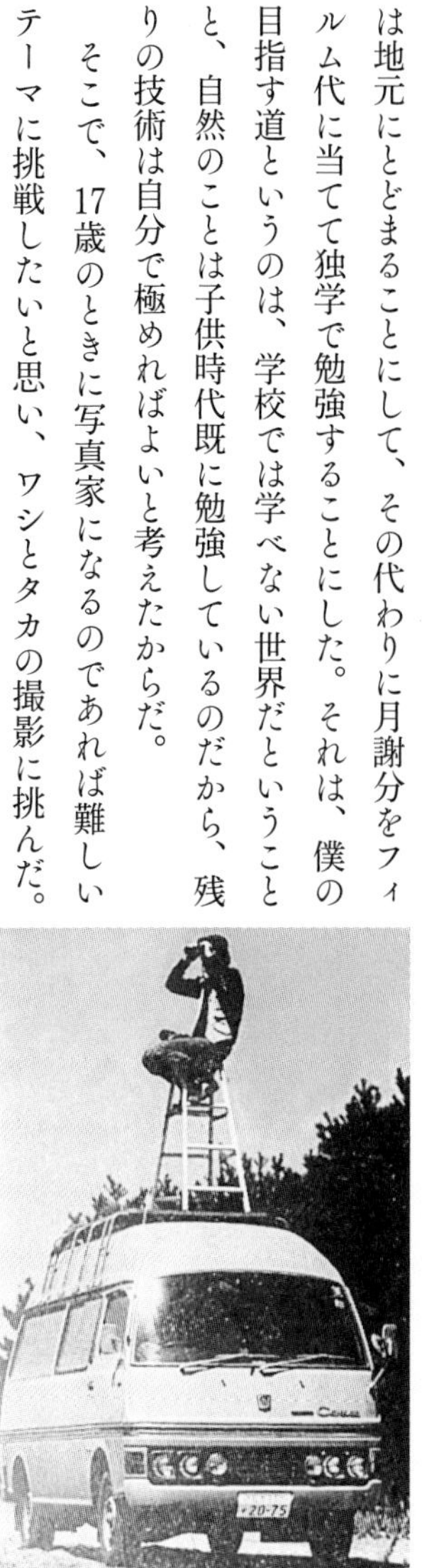

それは日本列島で繁殖している16種の営巣を見つけて撮影をするという壮大なものだった。結果的に15年の歳月をかけてその目標は達成することができた。撮影は困難を極めたけれど、木登りや岩登りが日常的だった幼児体験があったからこそ、巣よりも高い樹上からの撮影も可能だったのだと思う。しかも沖縄の八重山諸島に生息するカンムリワシの営巣を日本で初めて発見するという付録もついてきた。

このとき、同時進行していたのがけもの道に設置する無人カメラの開発だった。野生動物たちの敏感なセンサーをかいくぐってその生態をとらえるには、野ざらし状態の無人カメラしかない、と経験を通して感じていたからである。三脚なんかは買わなくても木材を打ち込めばいいし、カメラを風雨から保護するには、プラスチック製の工具箱を応用すればいい。目的に合わせて段階を踏みながらひとつひとつ手作りをしていけばよかったのだ。自然を相手にするには写真学校で教えてくれるようなセオリー通りの考えでは通用しないので、動物たちのサインを読み解く教科書は自分で作るしかなかった。

こうした無人撮影での仕事も、単に野生動物の姿を撮影するだけでなく、人間を含めた視点での表現の必要性に迫られて、『死』(平凡社/1994年)や『アニマル黙示録』(講談社/1995年)など、たくさんの写真集を出してきた。ただ、あまり前例のなかった無人カメラを使った撮影方法やそれまでの定説とは違うことを言う僕の意見への風当たりも強く、正直悩む日もあった。面白いと信じてやってきていることなのに、と世間とのギャップに苛立ちや孤独感を感じていた。

そんなところに、小原真史さんという若きキュレーターが雑誌の取材で、彼と同世代の編集者と一緒にやって来たのだった。彼らを撮影現場に連れまわし、山中の至るところに設置してある無人カメラの現場を見せた。撮れたての写真を見せながら、自然界では分からないことばかりが起きており、それらを撮影を通して知ることができ、毎日が発見の連続だ、とこの仕事の面白さを説いた。僕の話に小原さんたちは感じるところがあったらしく、話もはずみ、すぐに意気投合した。自分の子供世代に当たる彼らに、僕が少年時代に抱いたのと同じような感動が芽生えたのかもしれない。これをきっかけにして小原さんとは、いくつかの展覧会を企画し、親交を深めていく過程で、僕自身も新たな自然観や写真観を勉強させられたと同時に、自分の信念に基づいてやってきたことがやっと若者たちにも伝わり始めたような気がしていた。

その後、小原さんは亜紀書房の編集者である田中祥子さんを連れて再び駒ヶ根にやってきて、本書の編集作業が動き出した。両者には新たな視点で教えられることばかりだったし、若い感性から刺激も受けた。世代が変われば視点も変わる、自然とはそんな悠久なる時間軸で動いていくのだ。本書によってこれまでの仕事を次の世代へと繋げていくための契機を得られたことに、大いに感謝している。

２０１７年５月　宮崎学

宮崎学（みやざき・まなぶ）
写真家。1949年長野県生まれ。精密機械会社勤務を経て、1972年、プロ写真家として独立。自然と人間をテーマに、社会的視点にたった「自然界の報道写真家」として活動中。1990年『フクロウ』で第9回土門拳賞、1995年『死』で日本写真協会賞年度賞、『アニマル黙示録』で講談社出版文化賞受賞。2013年 IZU PHOTO MUSEUMにて「宮崎学　自然の鉛筆」展を開催。2016年パリ・カルティエ現代美術財団に招かれ、グループ展に参加。著書に『アニマルアイズ・動物の目で環境を見る』（全5巻）『カラスのお宅拝見！』『となりのツキノワグマ』『イマドキの野生動物』他多数。

小原真史（こはら・まさし）
キュレーター、映像作家。1978年愛知県生まれ。IZU PHOTO MUSEUM研究員として「荒木経惟写真集展　アラーキー」、「宮崎学　自然の鉛筆」展、「小島一郎　北へ、北から」展、「増山たづ子　すべて写真になる日まで」展、「戦争と平和──伝えたかった日本」展などを担当。監督作品に「カメラになった男──写真家中平卓馬」がある。第10回重森弘淹写真評論賞、第24回「写真の会」賞、日本写真協会賞学芸賞を受賞。単著に『富士幻景──近代日本と富士の病』、共著に『時の宙づり──生・写真・死』『戦争と平和──〈報道写真〉が伝えたかった日本』など。東京工芸大学准教授。

新装版

森の探偵

無人カメラがとらえた日本の自然

2021年9月5日　第1版第1刷発行

著　者　宮崎学・小原真史

発行者　株式会社亜紀書房
〒101-0051
東京都千代田区神田神保町1-32
TEL　03-5280-0261
https://www.akishobo.com
振替　00100-9-144037

ブックデザイン　吉岡秀典（セプテンバーカウボーイ）
本文DTP　山口良二
印刷・製本　株式会社トライ
https://www.try-sky.com

ISBN978-4-7505-1712-4 C0045

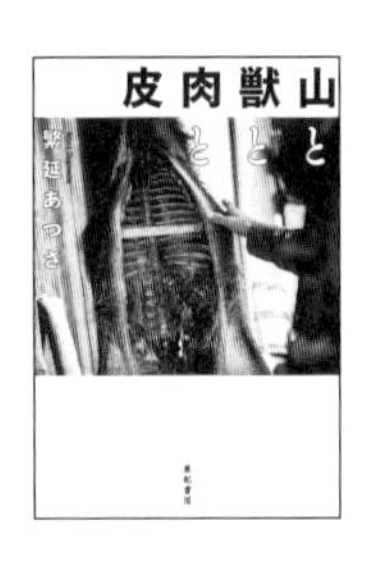

『山と獣と肉と皮』

繁延あづさ著

「かわいそう」と「おいしそう」の境界線はどこにあるのか？　山に入るたび、死と再生のダイナミズムに言葉を失いつつも、殺された獣を丹念に料理して、一家で食べる。写真家であり母親である著者の「死と再生」のドキュメント——赤坂憲雄氏、俵万智氏推薦。　1,760円（税込）

亜紀書房翻訳ノンフィクション・シリーズⅣ-1

『野生のごちそう　手つかずの食材を探す旅』

ジーナ・レイ・ラ・サーヴァ著　棚橋志行訳

文明の恩恵に浴しながら天然の獣肉を過剰に追い求めた結果、私たちが得たもの、失ったものとは……。「美食」の行き着く先を体当たりで探求する、思索に満ちた冒険ノンフィクション。　2,420円（税込）

『動物園から未来を変える　ニューヨーク・ブロンクス動物園の展示デザイン』

川端裕人、本田公夫著

ただ「動物を見せて終わり」じゃない。メッセージを伝えなければ——来園者の行動を、意識を変えていく。世界を驚かせた革新的な展示の数々は、どのように作られているのか。アメリカの動物園で活躍する日本人デザイナー・本田公夫に作家の川端裕人が聞く。　2,200円（税込）

『諏訪式。』

小倉美恵子著

長野県の諏訪は、諏訪湖を中心に八ヶ岳や霧ヶ峰も含む広大な地域。縄文の時代から人が暮らし、諏訪信仰がいまも息づく。多くの仕事や人が、どうしてこの地から生まれたのか？　ただならぬ場所、諏訪の地力を、丹念な取材で掘り起こす歴史ノンフィクション。　1,980円（税込）